Cuentos para regalar a personas inteligentes

Cuentos para regalar a personas inteligentes

ENRIQUE MARISCAL

Primera edición: octubre de 2002
Tercera edición: noviembre 2003

De la presente edición:
© Gaia Ediciones
   28933 Móstoles (Madrid) - España
   Tel.: 91 617 08 67 . Fax: 91 617 97 14
   e-mail: editorial@alfaomega.es
   www.alfaomega.es

Depósito legal: M. 47.682-2003
ISBN: 84-8445-052-X

Impreso en España por Gráficas COFÁS, S.A.

Índice

Cuento en primera persona

ELATO ALGUNOS DATOS biográficos que seguramente no interesan a nadie, que no afectan a la obra, pero que proporcionan una ligera ubicación cósmica de mi persona.

Mi abuelo paterno, Enrique Mariscal Arrona, vasco de larga estirpe, recibió condecoraciones por osados actos de salvamento en el mar. De él heredé un sentido heroico de la vida, no la habilidad de nadar; aunque siempre floté. Él era herrero de profesión; eso significa en sus orígenes «mariskal». Se había casado y separado, por esos tiempos, de Francisca Irastorza Icaceta, bien vasca.

Mi padre nació en Guipúzcoa, en la villa de Pasajes, del distrito de San Juan. De él recibí la nacionalidad española, su franqueza, su buen humor y el gusto por contar cuentos. No su habilidad para el baile y el canto.

Mi abuelo materno, Luis, era genovés. Se casó con Enriqueta, de Sestri Levante. Eran amigos del mar, pero mi madre, Catalina, tuvo pavor por todo lo náutico. De ella heredé sus valores taurinos a través de la luna trabajadora, imaginativa y a la vez práctica. Mi hijo Emilio confirma con su energía la fuerza de las raíces.

Nací en Buenos Aires un 16 de abril del milenio pasado, con el mandato nominativo de los nonos: Enrique Luis. Vivo con un grado más de temperatura saludablemente crónico, enamorado del amor; adicto a lo natural y a lo simple. Siempre me gustó leer, viajar y escribir.

Elegí como profesión la docencia libre, con especial dificultad para aceptar maestros y escuelas. Obtuve varios títulos académicos y distinciones que me habilitan y permiten «autorizadamente» expresar con espontaneidad mi propio estilo y percepción.

Me anima un sentido estético, religioso y transformador de la vida.

Trato de ocupar todos los espacios y oportunidades posibles para transmitir mensajes de alegría y de elevación surgidos de mi propia experiencia. Nunca busqué el poder externo.

Enseño lo que necesito aprender: la paz.

Para ello investigo mi propia interioridad. Hablo, hasta cuando callo, de la beatitud y de la unidad.

Amo mi trabajo y condición. Sé de la fugacidad personal, de la fuerza de las intenciones, de la potencialidad de los encuentros y de la permanencia de los cuentos; especialmente de los que no son en primera persona.

Estos *Cuentos para regalar* son como una carta de amor, para releer con sorpresa, con refinada atención, no para enmarcar.

Las perlas abundan pero no flotan. Hay que internarse en nuestras profundidades marinas para encontrarlas.

En algunas culturas estar apurado es signo de mala educación, entre nosotros es señal de prestigio. La partícula «a» no siempre es privativa, pero con una licencia especial podríamos leer apuro como movimiento sucio, antihigiénico.

Por estar apurados ya no hay abuelos serenos que convoquen con sus cuentos. Nuestros abuelos, hoy día, se vinculan a la violencia pandillera o a reclamos virulentos. No inauguran la magia con un «érase una vez».

En cambio, los únicos que nos cuentan cuentos son los políticos. Por eso es grande nuestra desorientación: quienes debieran iniciar el remanso encantado y aleccionador están preocupados por otras urgencias, y los que nos tendrían que expresar realizaciones concretas nos suelen abrumar con minucias de tres al cuarto y fabulosas explicaciones de impotencia.

Quienes viven de las necesidades ajenas no tienen interés en resolverlas, por eso hemos creado una sociedad no apta para niños.

Mientras llega el bisabuelo reposado y sabio que necesita nuestra infancia, les regalo una perla, una síntesis de vida, un cuento, que solía contar Krisnamurti:

«Había una vez un loro enjaulado que repetía a viva voz una sola palabra: "¡Libertad, libertad!"

Era una triste imagen. Alguien con sensibilidad se solidarizó con la petición del prisionero y abrió la puerta de la jaula.

Al día siguiente este hombre compasivo fue a observar los beneficios de su obra y se encontró con que el loro seguía dentro de la jaula gritando: "¡Libertad, libertad, libertad!"»

Un ciervo majestuoso estuvo encerrado en una jaula en el zoológico durante diez años. Constantemente daba vueltas alrededor de los barrotes.

Alguien se apiadó de él y descorrió el cerrojo. El soberbio animal salió lentamente y comenzó a dar el giro exacto que había ejercitado en cautiverio. La jaula ya era interna.

Así, los peces de acuario dan vueltas circulares en el lago si los sacan de la pecera.

Por la disciplina del EXITo, este libro inicia un largo camino, un grato sendero laberíntico.

Continúa en *Cuentos para regalar a personas originales,* que continúa en *Cuentos para regalar a personas sensibles,* que continúa en *Cuentos para regalar exclusivamente a dioses.*

El lector perseverante asciende y encuentra, por serendipidad* su SALIDA.

Se sabe que en el Cielo leen cuentos magníficos; en el Infierno, en cambio, los explican.

---

* *Serendipidad:* nombre de la editorial argentina que publicó la edición original de esta obra y significa: hallazgo valioso imprevisto.

I

Cállate y sigue nadando

~~~

QUÉ BIEN NOS HACE recordar que donde el hombre guarda su tesoro, ahí mismo encierra su corazón.

La alegría, como el entusiasmo, son estados internos irradiantes, no se pueden ocultar. La alegría es como la tos, se exterioriza. El entusiasmo se hace manifiesto en las acciones, es palpable; brota de un sentimiento profundo de exaltación; significa por etimología, *en theus*, Dios adentro.

La confianza en uno mismo tiene un poder incalculable en la vida; genera una visión amplia y positiva de todas las oportunidades. Por el contrario, el pesimismo debilita las alternativas que ofrece una situación y consigue que los fracasos que imaginamos nos visiten. El optimismo convoca a la alegría y al entusiasmo; el pesimismo invita al lamento y a la depresión.

Si por cualquier motivo una persona cae en un pozo no es conveniente tirarse dentro para sacarla; se juntarían dos con la necesidad de salir. Se puede ayudar cuando se pisa firme y se está fuera de la oscuridad.

Todavía suelen verse por los caminos esos grandes cántaros de las vaquerías, metálicos, relucientes y abollados. En uno de ellos cayeron hace tiempo dos ratitas, buenas nadadoras. El cántaro abierto estaba lleno de leche hasta la mitad diría un optimista, o medio vacío corregiría un pesimista.

Lo cierto es que las dos ratitas para salvarse comenzaron a nadar con buen estilo.

Una de ellas se sintió mal. Pronto empezó a desesperarse. No veía ninguna posibilidad de escapar. Le decía a su compañera:

—Esto no me gusta, hermana. De aquí no salimos.

—Cállate y sigue nadando —respondió la optimista.

—Sí, mucho silencio ¿y qué hacemos nadando? ¿Dónde vamos a ir? Esto es una fatalidad, no va, no va.

—Cállate y sigue nadando.

—Eres una rata sin fundamento. ¿Qué vas a conseguir?

—Cállate y sigue nadando.

—Esto es ridículo. Es consumirse inútilmente. No, no, no...

—Cállate y sigue nadando.

Más que de nadar, la ratita pesimista se cansó del parloteo. Desapareció de la superficie, ahogada.

La optimista siguió nadando. Tanto nadó que la leche comenzó a endurecerse al batirla y se transformó en sólida mantequilla. Pegó un salto y salió por inteligencia del cántaro.

II

Vocación por la música

ENTIR VOCACIÓN por una tarea es una bendición de la vida. Cumplir con una llamada interior, satisfacer la profunda necesidad de realizar una actividad con el propio estilo eleva a cualquier hombre a su más brillante condición.

Por el contrario, cuando se traiciona un anhelo, el corazón se seca. Entonces cualquier éxito genera fatiga y aburrimiento. Los logros son sólo aparentes, no llegan a nutrir, empobrecen.

Un hombre rico confesó con tristeza su personal fracaso. Con cierta complicidad e ingenio dijo:

«Desde niño sentí una enorme vocación por la música. Era una temprana pasión. Pero me ocurrió algo terrible. Siendo muy joven salí de mi casa para escuchar un magnífico concierto. Y justo en la puerta me encontré un billete de 100 dólares. No había nadie. "¿Qué habría hecho usted, Enrique?", me preguntó con gran curiosidad, como si a la vez estuviese seguro de mi respuesta. "Dígame, ¿lo habría cogido o no? Si le ocurre algo así, ¿qué haría?"

»Era una fiesta: a cada paso más dinero.

»En un momento dado observé que estaba frente a la sala de conciertos, exactamente donde quería ir, pero si seguía avanzando llenaba más la bolsa. Decidí continuar caminando ¿A quién le iba a dejar lo embolsado? Así, durante cuarenta años, acumulé dólares con enorme facilidad. ¿Quién me iba a cuidar lo que había juntado? "Y aquí estoy, Enrique, rico y sordo."»

Muchas veces la vida nos presenta conflictos de motivaciones. Y perdemos el rumbo porque nos negamos la vocación y nos enredamos con intereses múltiples.

De los laberintos se sale hacia arriba. Para ser un buen negociador de la vida hace falta decisión firme y buen oído. Vocación por la música.

Es tan fácil hacerse uno «bolsa»: con riqueza desafinada para lo esencial. Sin alegría, elevación ni inteligencia.

III

El rey se puso de pie

⟨≈≈⟩

FUE UN IMPULSO SUPERIOR, desconocido, irrefrenable. Jorge II, monarca de Gran Bretaña e Irlanda, al escuchar los primeros acordes sólo atinó a erguirse; y con él, en un único movimiento, todos los presentes hicieron lo mismo.

Desde entonces es tradición en Inglaterra escuchar de pie, medio palmo más cerca de Dios, el *Aleluya* de Haendel. Y luego se fueron y contaron de puerta en puerta que había sido creada una obra musical como no existía otra en la Tierra. Y una sola palabra, hecha torrente musical desde 1741, eleva la condición humana a la gloria de su real naturaleza: Alegría.

Pero muy pocas personas saben en qué situación personal se encontraba Jorge Federico Haendel cuando fue visitado por la gracia de una inspiración superior. Enfermo; desahuciado por los médicos; censurado por la estética musical inglesa; con el riesgo de ser encadenado en la Torre de Londres por deudor moroso; no quería vivir, sin fuerzas; mal alimentado, destruido por la depresión, asistido por su empobrecido criado; sin horizontes, ni alegría alguna. «Ya basta... Sin fuerza..., no quiero vivir sin fuerza», repetía. Estaba acabado. Tenía 56 años.

En la cerrada noche de su desesperación Haendel increpó a Dios: por indolente, por distraído, por cruel. Como única respuesta un rayo imprevisto irguió su derrumbada contextura, mientras en su abandonada mesa de trabajo leyó «¡Confórmate! y di con fuerza tu palabra».

Haendel inclinó su cabeza, ahora sacudida por una tempestad, sobre las viejas hojas de música. Había desaparecido el cansancio; era todo un goce creador. Durante 14 días con sus 14 noches no comió ni durmió, como si hubiese enloquecido. No dejaba de trabajar y de cantar. Quería levantar su testimonio de gratitud y júbilo.

Sólo quien ha llegado a la raíz misma del dolor puede saltar a la alegría con ese vigor. Su criado no podía controlarlo.

Jorge Federico Haendel había resucitado con *El Mesías,* donde su «Aleluya, Aleluya, Aleluya», borró con luz expansiva toda la oscuridad de su vida.

«No quiero recibir ningún dinero por esta obra. No es mía. Todo lo que produzca que sea para los enfermos y los presos. Porque he sido un enfermo y con ella me sané. Y he sido un preso, y por ella me liberé.»

De este renacimiento da testimonio un gran escritor, Stefan Zweig.

Zweig y su esposa se suicidaron en 1942. No pudieron soportar el horror de la guerra mundial ni su propia depresión: «Demasiado cansados para soportar todo esto.»

En cambio, un músico destruido, solo, sin ninguna violencia, fue capaz con su genio de poner de pie al rey de Inglaterra.

Tal vez puedas completar este cuento para regalar con tres movimientos inteligentes: escuchar el *Aleluya,* leer *Momentos estelares de la humanidad,* de Stefan, y meditar sobre el poder creador que duerme en cada uno de nosotros.

IV

La otra mejilla

~~~⟨∘⟩~~~

CUALQUIER TEXTO TIENE por lo menos dos lecturas. Lo mismo podemos aplicar a todas las situaciones de la vida. Por eso es sabio no cristalizar una respuesta única ante las numerosas alternativas que ofrece cada conflicto.

El juego creativo con la realidad nos permite superar, de muchas maneras, los problemas diarios e imprevistos, tanto los individuales como los colectivos. En cambio, una fórmula, repetida siempre igual, no abre posibilidades de cambio. Es tradicional la respuesta de agresión a la agresión.

Existía un monasterio que estaba situado en lo alto de una montaña. Sus monjes eran pobres, pero conservaban en una vitrina tres manuscritos antiguos, muy piadosos. Vivían de su esforzado trabajo rural y fundamentalmente de las limosnas que les dejaban los fieles curiosos que se acercaban a conocer los tres rollos, únicos en el mundo. Eran viejos papiros, con fama universal de importantes y de profundos.

En cierta oportunidad un ladrón robó dos rollos y huyó ladera abajo. Los monjes avisaron con rapidez al abad. El superior, como un rayo, buscó la parte que había quedado y con todas sus fuerzas corrió tras el agresor, alcanzándole:

—¿Qué has hecho? Me has dejado con un solo rollo. No me sirve. Nadie vendrá a leer un mensaje que está incompleto. Tampoco tiene valor lo que me robaste. O me das lo que es del templo o te llevas también este texto. Así queda la obra completa.

—Padre, estoy desesperado. Necesito con urgencia hacer dinero con estos escritos santos.

—Bueno, toma el tercer rollo. Si no, el mundo va a perder algo muy valioso. Véndelo bien. Estamos en paz. Que Dios te ilumine.

Los monjes no llegaron a comprender la actitud del abad. Estimaron que había sido débil con el rapaz, y que era el monasterio quien había perdido. Pero guardaron silencio y dieron por terminado el episodio.

Cuenta la historia que una semana después el ladrón regresó. Pidió hablar con el padre superior:

—Aquí están los tres rollos, no son míos. Los devuelvo. Te pido en cambio que me permitas ingresar como monje. Mi vida se ha transformado.

Ese hombre nunca había sentido la grandeza del perdón, la presencia de la generosidad excelente.

El abad recuperó los tres manuscritos para beneficio del monasterio, ahora mucho más concurrido por la leyenda del robo y del resarcimiento. Y además consiguió un monje trabajador... y de una honestidad a toda prueba.

El agresor espera agresión, no una respuesta creativa, inesperada, insólita. No sospecha la conmoción, el poder incalculable, trabajador, de la otra mejilla.

V

Cumpleaños

ONOCÍ A UN PRESTIGIOSO PROFESOR que cuando le pedían alguna tarea que no le agradaba decía: «¿Cómo me exige este esfuerzo hoy, que cumplo años?» Y la otra persona inmediatamente lo felicitaba y le pedía disculpas por haberlo molestado. Retiraba su petición.

El profesor tuvo que abandonar este recurso, a riesgo de perder totalmente su autoridad. Alguien recordó que en un semestre había cumplido años tres veces.

Pero indudablemente anunciar cumpleaños tiene un poder mágico. Convoca a una tregua, a una distensión, a una alegría recíproca. Todos alguna vez participamos del episodio anual que nos hermana y nos amaina, nos vuelve regresivos.

A pesar de la suma incontenible, es lindo cumplir años.

«No sé que edad tengo —decía una veterana actriz—, cambia a cada minuto.»

—¿Qué edad tiene usted? —preguntó el juez al reo
—Veinticinco años, su señoría.

—Hace una década que me viene diciendo lo mismo.

—Tiene usted razón, su señoría. Yo no soy de esos tipos que hoy dicen una cosa y mañana otra.

Un hombre anciano caminó un kilómetro para llevar a su vecina un trozo de tarta:

—Mi esposa cumple 86 años y quiere que pruebes el postre de fiesta.

La mujer agradeció la atención. Dos horas más tarde el avejentado esposo volvió a la casa de su amiga:

—Perdón, me envía Tatiana para que me corrija: sólo cumple 85 años.

—Ese dolor que siente usted en su pierna es producto de su avanzada edad —explicó el médico.

—¡Por favor, doctor! La otra tiene la misma edad y no me duele —respondió el paciente.

En la celebración de su cumpleaños preguntaron al maestro que dijera la actividad más importante de su larga vida.

—Cualquier cosa que estuviera haciendo en ese momento —contestó.

Nos regala Richard Bach:

«No tienes cumpleaños porque nunca has nacido, jamás naciste y nunca morirás.»

Vivir de instante en instante con intensidad para una hermosa y sabia trayectoria.

Por compartir y celebrar ahora este: ¡Feliz Cumple-instante!

Te regalo un cuento para persona inteligente.

VI

Los pavos no vuelan

N PAISANO ENCONTRÓ en Catamarca un huevo muy grande. Nunca había visto nada igual. Y decidió llevarlo a su casa.

—¿Será de un avestruz? —preguntó a su mujer.

—No. Es demasiado abultado —dijo el abuelo.

—¿Y si lo rompemos? —propuso el ahijado.

—Es una lástima. Perderíamos una hermosa curiosidad —respondió cuidadosa la abuela.

—Ante la duda, lo voy a colocar debajo de la pava que está empollando huevos. Tal vez con el tiempo nazca algo —afirmó el paisano, y así lo hizo.

Cuenta la historia que a los quince días nació un pavito oscuro, grande, nervioso, que con mucha avidez comió todo el alimento que encontró a su alrededor. Luego miró a la madre con vivacidad y le dijo entusiasta:

—Bueno, ahora vamos a volar.

La pava se sorprendió muchísimo de la proposición de su flamante cría y le explicó:

—Mira, los pavos no vuelan. Te sienta mal comer deprisa.

Entonces trataron de que el pequeño comiera más despacio, el mejor alimento y en la medida justa.

El pavito terminaba su almuerzo o cena, su desayuno o merienda y les decía a sus hermanos:

—Vamos, muchachos ¡a volar!

Todos los pavos le explicaban entonces otra vez:

—Los pavos no vuelan. A ti te sienta mal la comida.

El pavito empezó a hablar más de comer y menos de volar. Y creció y murió en la pavada general: ¡pero era un cóndor! Había nacido para volar hasta los 7.000 metros. ¡Pero nadie volaba...!

El riesgo de morir en la pavada general es muy grande. ¡Como nadie vuela!

Muchas puertas están abiertas porque nadie las cierra y otras están cerradas porque nadie las abre.

El miedo al hondazo es terrible. La verdadera protección está en las alturas. Especialmente cuando hay hambre de elevación y buenas alas.

VII

Preguntas y respuestas

A LOS DOCE AÑOS JESÚS desapareció en Jerusalén. Pasados tres días lo encontraron en el Templo, sentado entre los doctores de la Ley. María le preguntó angustiada:

—¿Por qué le haces esto a tu padre?

—Porque tengo necesidad de atender los negocios de mi padre —contestó serenamente el pequeño maestro.

Otro niño muy protegido vivía agobiado. La maestra que observaba su sufrimiento le preguntó:

—¿Qué es lo que te preocupa?

—Mis padres. Papá se pasa el día trabajando para que no me falte nada y pueda venir a la escuela más cara de la ciudad. Hace horas extras para que después pueda ir a la mejor universidad. Mamá cocina, lava, plancha y compra para que no tenga de qué preocuparme —contestó el pequeño.

—¿Y entonces por qué estás agobiado? —inquirió la docente.

—Tengo mucho miedo de que un día se vayan y dejen de preocuparse por mí —respondió el complicado alumno.

Cuando era profesor en el Nacional Buenos Aires me contó una anécdota el colega de Historia, el doctor Giorno:

—Enrique, —me dijo—, los alumnos de primer año vienen terribles. Al pasar lista veo el nombre Carpintero, Máximo. Y le hice una broma:

—Carpintero, usted sí que tiene suerte, ya sabe a qué se va a dedicar en el futuro.

—Cualquier *giorno,* señor —contestó fulminante el muchacho.

Indudablemente es muy difícil la tarea de padres y educadores, de alumnos y de hijos. Un maestro debe hacerse cargo de todas las preguntas y respuestas de sus alumnos, no sólo de las que le agradan. Es indispensable el humor y la autoironía.

El célebre actor John Barrymore visitó un centro universitario de literatura inglesa. Un alumno lo sorprendió con una pregunta que lo inquietaba:

—¿Usted cree que Ofelia se acostó alguna vez con Hamlet?

El artista se quedó pensativo por unos instantes y luego respondió con solvencia:

—Sólo en una oportunidad, cuando actuamos en Chicago.

La joven maestra escribe en la pizarra: 5-7-8-11-16-24. Luego pregunta:

—A ver, Ramiro, ¿cuáles de estos números son divisibles por 2?

—Todos, señorita —respondió con seguridad el niño.

A una conocida aldea europea llegó hace años alguien de la ciudad con un desodorante de uso personal.

—¿Y qué es esa novedad? —preguntó un parroquiano.

—Un nuevo producto muy útil. Especialmente indicado para evitar el molesto baño semanal.

VIII

Rutina

UN TURISTA PASEABA por un barrio aristocrático de Madrid. De pronto, sorprendido, observó a un hombre que con gran esfuerzo intentaba introducir un caballo por la puerta principal de una mansión.

—Por favor, señor, ayúdeme con este animal —suplicó el caballero.

El caminante colaboró y el caballo entró en la hermosa casa.

—Por favor, señor, acompáñeme a subirlo hasta el primer piso —le solicitó el dueño de la propiedad.

—¿Al primer piso? ¡La escalera está alfombrada!

—Sí, tenga usted la amabilidad. Se lo pido muy especialmente.

Y el caballo llegó mansamente al primer piso.

—Por favor, ya estamos cerca. Necesito llevarlo hasta el baño... Majestuoso, el corcel entró en el lujoso baño.

—Por favor, mi último ruego. Ayúdeme a meterlo dentro de la bañera.

Con gran esfuerzo ambos hombres consiguieron introducir al dócil animal en la posición deseada. El propietario lo sujetó, cerró la mampara y con satisfacción se dirigió a su providencial ayudante:

—Le estoy muy agradecido. Le invito a lo que guste: café, una copa... No me tome por loco, soy una persona serena y controlada. Le explicaré...

Y se fueron a hablar al salón.

—Mire, amigo...; vivo con una mujer que lo sabe todo. De nada se asombra. Cualquier comentario mío sobre lecturas, amigos, trabajo, siempre provoca en ella la misma respuesta: «¡Ah, eso ya lo sé!» Imagínese lo que va a significar hoy, para mí, esperarla aquí sentado, verla llegar, que me salude, suba a su habitación, vaya a ducharse y salga gritando por la escalera: «¡Hay un caballo en la bañera!» ¿Usted sabe lo que voy a sentir cuando le responda: «¡Ah, eso ya lo sé!»?

¿Cuántos caballos tenemos que meter en algunos lugares para generar un poco de asombro, de inteligencia, entre tanta rutina?

IX

30.000 dólares per cápita

OR REGLA GENERAL, TODOS al nacer recibimos treinta mil dólares en efectivo, con la sola obligación de gastar todos los días uno, sin excepción. No podemos acumular billetes para mañana. El adelanto de capital exige hacer algo cada jornada. Y gastar de uno en uno. No existen estrategias de ahorro ni plazos especiales.

Ochenta años de vida corresponden a 29.200 días. Si tenemos la suerte de vivir hasta entonces comprenderemos el sentido de este regalo que nos depara la aventura de nuestra trayectoria personal. Si gustan, pueden hacer un recuento del capital, simplemente como un movimiento orientador de los horizontes en juego.

Pero hay una fórmula para que no se malogre nuestra fortuna inicial. Para que podamos tener la satisfacción de utilizar plenamente cada jornada. Se trata de transformar el día en una perla, en un diamante. En algo tan valioso que, si bien vamos perdiendo los dólares vitales, nos queda en cambio un collar de autorrealizaciones mucho más valiosas que el mero efectivo potencial del comienzo.

Cada día tiene 1.440 minutos, ni uno más.

¿Podemos conquistar aunque no sean más que 5 minutos de ese tiempo para reencontrarnos con nosotros mismos y decidir la mejor de las inversiones?

En caso contrario perderemos la riqueza de los días y sus generosas perlas.

La perla es el símbolo universal del poder nutriente y dúctil del agua, del misterio y la belleza que habita en cada mujer, de la fecundidad creadora y de la integridad cósmica. En ella permanece un aire de perfección.

En el monasterio de Los Toldos, un monje alegre dice bajito, con inteligencia, que en los «cuentos rodados» hay perlas.

X

Astrología

❦

ADA HOMBRE es un cielo a interpretar.
La gente seria no cree en absoluto en el saber astrológico, pero no deja de leer la dudosa e irremplazable columna del periódico donde se anuncia el destino de los Aries, Géminis o Leo.

Nos agrada pertenecer a algún grupo, aunque sólo sea sideral.

Estimula saberse involucrado en los altibajos afectivos, los aciertos económicos y las posibles mejoras de la salud propias del signo, que todos sin discusión sospechamos como el mejor del zodíaco.

Tres cosas hay en la vida que nos mueven a simpatizar con oráculos, pitonisas, charlatanes y a veces con estudiosos no sensacionalistas: salud, dinero y amor; por las dudas...

Un rey poderoso y despótico quiso darle una lección a su astrólogo.

Pensó en preguntarle, rodeado de sus ministros, la fecha en que iba a morir. Después ordenaría que lo mataran.

—Dime, amigo de los astros, ¿qué día vas a morir? ¡Debes haberlo consultado!

—Sí, mi señor, pero no me atrevo a decirlo.

—Arriésgate, te estoy preguntando. Nunca te vi dudar.

—El horóscopo vaticina con certeza que voy a morir un día antes que su Majestad.

Se comenta que todavía lo siguen cuidando al ingenioso astrólogo, por las reales dudas.

Jorge Bucay, con inteligencia, le dio en cambio a este relato un final posible, conmovedor.

Cuando le preguntaron a Newton por qué creía en la astrología, respondió: «Porque la estudio.»

Se encuestó a más de cien premios Nobel contemporáneos acerca de la opinión que les merecía la astrología como ciencia.

Todos, sin excepción, respondieron que no tiene ninguna validez rigurosa y que se trata de un saber sin fundamento.

Se les pidió después que indicasen algún texto de astrología que hubiesen leído, o que conocieran. Todos, sin excepción, contestaron que nunca habían leído nada en especial y que ¡no conocían a ningún autor!

Pero existen cátedras universitarias sobre este tema asombroso, tesis doctorales y una bibliografía y estadística descomunal. Jung, el afamado psicoanalista del inconsciente colectivo, no realizaba ningún tratamiento sin estudiar profundamente la carta natal del paciente.

Liz Greene, Stephen Arroyo, Dane Rudhyar, Howard Sasportas, entre otros muchos estudiosos actuales que no figuran en las conocidas columnas diarias de los signos, afirman con respetable solvencia: «Hay un orden oculto; es cíclico y polarizado.»

La astrología abre un libro de imágenes universales. Y cada hombre es, en potencia, un universo, un cuento inteligente para interpretar.

XI

La profesión secreta

TODOS LOS ADULTOS tenemos una profesión secreta. Aquella que nos gustaría haber realizado y que por algún impedimento no pudimos realizar. Existe, sin embargo, en nuestra motivación más íntima. Y desde allí actúa.

En cierta oportunidad me dijo un miembro de un grupo de creatividad:

—De chico quería ser escultor, pero mi padre me desalentó. Mi vocación no ofrecía ninguna seguridad económica. Elegí medicina.

—¿Y qué especialidad ejerces? —le pregunté.

—Ortopedia.

Y agregó con entusiasmo:

—¡Tienes que ver los yesos que les hago a mis pacientes!

Un contable me confesó que su profesión secreta era la de escritor y agregó:

—Lo que más me gusta cuando presento los balances es escribir un minucioso informe sobre la evolución y perspectiva de sus números.

—¿Y qué te dicen los clientes de tu obra?

—La mayoría no la leen y el resto la subestima: «Contable, no me haga perder tiempo con sus informes.»

El zapatero quiere ser navegante; el abogado, cantante de ópera; el periodista, profesor universitario.

Es muy hermoso en la vida haber podido realizar la profesión secreta.

En caso contrario, nuestra motivación más íntima aparecerá en la actividad rutinaria: el zapatero navegará en su taller; el abogado utilizará los juicios orales para hacer escuchar sus do de pecho; el periodista pontificará entre líneas.

¡Qué magnífico encuentro espiritual tuvieron aquellos pescadores que un día descubrieron su verdadera identidad profesional!

—Dejad esas redes. Desde ahora seréis pescadores de almas.

XII

No da lo mismo, señor

A AMISTAD ES OTRO nombre del amor, una hermosa perla de vida, brillante, digna de cultivar. Sus caminos son extraños.

El batallón se había replegado del campo de batalla a un refugio. La contienda era cruelmente combativa. El soldado muy triste pidió permiso a su oficial para rescatar al amigo del alma que no había regresado.

—Permiso denegado, soldado. El que no ha vuelto está muerto.

El muchacho no encontraba consuelo y sentía una necesidad imperiosa de buscar a su compañero.

Siguiendo un impulso superior se escapó sin autorización. Al poco tiempo regresó malherido, arrastrando con gran esfuerzo el cuerpo de su querido amigo. El oficial lo recibió indignado:

—Soldado, ¿se da cuenta de lo que ha hecho? Ahora tenemos dos muertos más en la compañía. ¡No comprende que no ganó nada por ir a buscarlo, que da lo mismo!

—No señor, no da lo mismo. Cuando llegué, todavía estaba con vida, maltrecho. Su rostro se iluminó cuando me vio y alcanzó a decirme en voz baja: «¡Mario..., estaba seguro de que me venías a buscar!» Y murió.

La ley de atracción que opera con total sabiduría en el amor nos motiva a realizar acciones que responden a la libertad, no a la autorización. Sus consecuencias suelen sorprendernos por la osadía que encierran y la nobleza que las ampara.

Una vida sin amistad tal vez no tenga riesgos sorpresivos, pero carece de brillo y de grandeza.

No da lo mismo perder una batalla que ganar un reino, invisible pero mágico.

Sin amistad... ¡no da lo mismo, señor!

XIII

Ayudar a Dios

 N CIERTA OPORTUNIDAD se le preguntó a un pobre campesino sobre la calidad de sus terrenos y sus productos:

—¿Qué tal viene el algodón?

—Aquí no se da —respondió quejoso.

—¿Y qué tal las fresas?

—Aquí no se dan ¡Es una lástima! —agregó.

—¿Y los tomates?

—No, aquí no se dan —contestó en el mismo tono.

—¡Qué extraño! —respondió sorprendido el interlocutor—, porque al otro lado de la costa, enfrente mismo de sus tierras, he visto abundantes plantaciones de algodón, fresas y tomates.

—Ah, sí... conozco el hecho —explicó el hombre de campo—, allí los cultivan. ¡Aquí no se dan!

Como ocurre con nuestras vidas, en las empresas o en los países, cada terreno tiene su propia inteligencia productiva y su estilo de administración. Algunos muestran resultados y otros dan explicaciones.

La creatividad es el final de las excusas, de las justificaciones. Se trata de hacer algo con lo que tengo no con lo que me falta.

La tentación de comprar barato terrenos floridos y productivos nos puede hacer olvidar el grado de dedicación y compromiso que tuvieron sus propietarios y la cultura de trabajo que antecede a los frutos envidiables.

❧❦❧

Un creyente increpó a Dios por no escuchar sus súplicas:

—Señor, hazme rico, dame dinero, mucho. Hace veinte años que te vengo suplicando lo mismo.

—Hace veinte años que te digo que hagas algo, aunque sólo sea comprar un billete de lotería —se escuchó desde el cielo.

❧❦❧

Una mujer descubre en el supermercado que Dios está detrás de un mostrador: «Es la mía» se dijo, y preguntó:

—¿Qué es lo que vendes?

—Todo lo que tu corazón desee —le contestó el Señor.

—Bueno, entonces dame felicidad, paz, algo de dinero, salud para mí y toda mi familia; y también para el barrio, además...

—No me entendiste bien querida —respondió luminoso el Padre—, ¡yo vendo las semillas!

La decisión creativa nos vuelve más protagonistas que dependientes. La súplica se sustituye por la iniciativa; la pasividad se supera con la acción; la mera fe en el destino debe dar paso a nuestra convicción y empeño en el afán diario.

Es una forma madura e inteligente de ayudar a Dios.

XIV

No te preocupes, Natacha

QUÉ VALIOSO ES EN LA VIDA saber que tenemos amigos leales con quienes podemos contar.

Natacha e Iván se querían mucho en su feliz matrimonio. Pero Iván era un hombre muy vital, tenía problemas de excesos biológicos y engañaba a su mujer. Eso sí, siempre estaba a su hora para la cena, alegre y con mucho apetito, indeclinablemente fiel a la buena cocina de su esposa.

Los amigos conocían las debilidades y trampas de Iván, pero lo comprendían y toleraban. Confiaban en que con los años el cuerpo pondría un sabio límite a sus excesos eróticos.

Pero una noche, Iván no volvió ni a cenar ni a dormir. Natacha, desesperada, envió con un mensajero una nota los siete mejores amigos de su marido:

«Anoche Iván no vino a dormir. Por favor, contéstame de inmediato si sabes algo de él.»

El correo regresó con las siete respuestas de sus solícitos amigos. Todos querían tranquilizar a la preocupada esposa: «No te preocupes Natacha. Iván pasó la noche en casa, está muy bien. Ya te lo explicará.»

Cuando Iván regresó a su casa no encontró ninguna excusa válida y tuvo que soportar una tormenta de indignación de su esposa, furiosa con él y con sus mentirosos amigos.

Iván aguantó la reprimenda sabiendo que iba ser tan intensa como fugaz. Lo que más le ayudó en la emergencia fue la alegría que le proporcionaba saber que tenía amigos tan fieles.

«Cómo se la jugaron», se repetía con felicidad mientras volaban por su cabeza los platos que él hubiera preferido llenos de buena comida.

«Cómo se la jugaron», y también agregaba, sin éxito: «No te preocupes, Natacha.»

El hombre más rico no es el que retuvo la primera moneda que ganó, sino aquel que conserva el primer amigo que tuvo.

XV

Construir catedrales

N LA VIDA ES IMPORTANTE darse cuenta de toda la complejidad y sentido que encierra la tarea que cumplimos.

Hay personas que se jubilan y que nunca llegarán a descubrir la riqueza y proyección que tenía el trabajo que realizaron durante años. La mirada perdió su amplitud porque seguramente estaba limitada al cumplimiento estricto de las formalidades externas, horarios, exigencias, retribuciones, premios o sanciones.

Conocí en un hospital pediátrico a una jefa de lavandería que cuando doblaba una sábana limpia y planchada, para su distribución en la sala, le decía a la enfermera:

—Cógela con cuidado, envolverá a un niñito enfermo.

Un hombre golpeaba con fuerza una roca, con rostro duro, sudoroso. Alguien le preguntó:

—¿Cuál es su trabajo?

—¿No lo ve? Picapedrero —y agregó con pesadumbre—: Estoy en prisión y me obligan a hacer esto. ¿Le parece que puedo estar contento?

Un segundo hombre golpeaba con fuerza una roca, con rostro duro, sudoroso. Alguien le preguntó:

—¿Cuál es su trabajo?

—¿No lo ve? Picapedrero —y agregó con pesadumbre—: Mi abuelo picaba piedras, mi padre lo mismo, yo no puedo defraudar a mi familia. ¿Le parece que puedo estar contento con mi actividad?

Un tercer hombre golpeaba con fuerza una roca, sudoroso, con rostro alegre, distendido. Alguien le preguntó:

—¿Cuál es su trabajo?

—¡Estoy construyendo una catedral!

Si nos animamos a asumir el amplio sentido social que tiene nuestro esfuerzo laboral, tal vez éste pueda convertirse en una profunda satisfacción.

Un cambio de actitud es una pequeña disposición interna que produce una gran transformación.

Siento que con estos cuentos no escribo un libro más, construyo catedrales en el corazón de los lectores.

XVI
Solamente para humildes

 A HUMILDAD PROTEGE. Tiene el mágico poder de lo simple. Había cuatro rabinos a quienes se les dio la oportunidad de mirar a Dios directamente, cara a cara.

Uno de ellos enfermó al hacerlo y murió; otro se volvió loco; el tercero se transformó en un amargado y el cuarto religioso se llenó de luz, de inmensa alegría, de radiante beatitud.

El que enfermó y murió era un hombre ensimismado, recluido. Todos le querían pero nadie había llegado a conocerlo profundamente. No trataba bien a su cuerpo porque no lo consideraba importante, esencial.

El rabino que se volvió loco dedicaba todo su tiempo a los textos sagrados, revisaba conceptos y sentencias.

El sacerdote que se volvió amargado era vanidoso y muy ambicioso, quería que Dios le mostrara solamente a él cómo salvar el mundo y lo ungiera predicador exclusivo.

El rabino que se iluminó era un padre de familia con varios hijos, un permanente y sencillo estudiante, trabajaba sin fatiga en el templo pero no era obsesivo ni autoritario con las enseñanzas de la tradición.

Si alguno en su comunidad enfermaba y no podía asistir a sus clases se disfrazaba para visitarlo.

Era humilde, sabía que si un rabino visitaba la casa de un feligrés todo el mundo se levantaba para recibirlo. Y no quería eso para su pobre enfermo. Se vestía como si fuese un sirviente que venía a traer agua o leña. Es decir, se relacionaba con la gente en su propio nivel.

Fue el único de los rabinos que se iluminó cuando vio cara a cara a Dios; recibió la gracia sin esperar nada, sin exigir nada. Con el corazón abierto, muy sensible, no susceptible.

Era un rabino sabio.

Cada vez que se había desprendido de alguna inclinación personal había aprendido en silencio que la bendición de la luz es sólo para los humildes.

Era humilde sin darse cuenta, como corresponde. Por eso ni murió ni se amargó ni enloqueció de soberbia cuando vio a Dios cara a cara. La humildad protege, con inteligencia, porque es transparente y unifica.

XVII

El poder de lo simple

IMPLE COMO EL AGUA. Como la seguridad de los gorriones o la prestancia de los lirios del campo. Así nos visita a veces, sin planificación previa, el arco iris, una mano amiga, la plenitud del amor. Sin ceremonial, pero con un fuerte impacto.

Lo simple tiene el poder «palanca» que mueve poderosas estructuras: un correo secreto permite a las golondrinas llegar a tiempo a San Francisco; a un recién nacido encontrar el pecho materno en la oscuridad.

El agua nutriente, no contaminada, que responde a la fórmula universal de H_2O, puede leerse con una química metafórica:

humildad,
honestidad y
osadía.

Esta reformulación genera un nuevo fluido social, mágico y escaso. Imprescindible.

Un hombre musculoso no puede abrir una gaseosa con los dedos. Un niño puede hacerlo, sin esfuerzo, con el simple movimiento de un abridor, con el poder «palanca». Decía el maestro:

—Cuando pronuncies una palabra entra en esa palabra con todos tus miembros.

—¿Cómo es posible que un ser humano quepa en una palabrita? —preguntó un escéptico.

—Aquel que se sienta más grande que la palabra no es de la clase de persona de la que estamos hablando —respondió el humilde sabio.

Una joven periodista porteña quiso realizar una nota impactante.

Viajó al extremo sur con cámara y grabadora, llegó a una perdida cabaña casi cubierta por la nieve y, con osadía, golpeó, ansiosa por obtener una entrevista sumamente original y extensa.

Salió un hombre moreno, joven, abrigado. La cronista lanzó su gran pregunta:

—¿Qué está haciendo usted aquí?

—Patria —respondió el sureño.

Ante la fuerza de semejante respuesta, la joven dio por terminado el reportaje.

—Señora, tiene usted un niño hermoso.

—Esto no es nada, tendría que verlo en fotografías.

El juez municipal increpaba al comerciante por no tener las correspondientes «pesas y medidas» en su negocio minorista. El imputado contestó con total solvencia y humildad:

—¡Señoría, soy vidriero! Si coloco un cristal más chico se me cae al otro lado. ¡Cómo no voy a medir bien!

El juez quedó conmovido por el argumento. La simpleza lo aleccionó.

Si le pedimos al arco iris que mejore sus colores, desaparece. El orgasmo concluye cuando se comenta. Un baile de golondrinas no se aplaude. Cuando los cerezos florecen, los epigramas sobran.

Así de simple.

XVIII
Saber elegir

❧❧❧

UANDO VEMOS ALGO con absoluta claridad no tenemos duda en elegir: actuamos. Las dificultades surgen cuando estamos confusos, inseguros, sin visión. Desorientados pedimos señales, guías, faros, oráculos o maestros.

El joven discípulo consulta a su sabio instructor.

—¿Cómo puedo hacer para distinguir a un predicador con verdadera luz espiritual de alguien que habla con ignorancia?

—Es muy sencillo. Tienes que pedirle que te transmita la esencia de su comportamiento liberador durante el tiempo que pueda mantenerse sobre un solo pie. Si se cansa y te pide otra oportunidad, significa que está lleno de palabras, no sabe.

A lo largo de su vida el aspirante a maestro tuvo múltiples ocasiones de comprobar cuánta verdad tenía la brevedad y simpleza de esa indicación: supo elegir.

Cuenta una vieja historia, entre los musulmanes, que había un rey fabulosamente rico. A su muerte legó todo lo que poseía a Yusuf, su leal esclavo.

Estableció, eso sí, una sola reserva: que primero le fuera concedida a cada uno de sus cuatro hijos la oportunidad de elegir alguna cosa de valor.

Cada uno de los príncipes pidió lo que creía más conveniente. El mayor se decidió por el palacio real; el segundo por un magnífico jardín flotante; el tercero optó por el deslumbrante trono adornado con piedras preciosas de incalculable valor. Los tres se lamentaron de que el resto fuera a parar a manos del esclavo Yusuf.

Faltaba el cuarto hermano, el menor, que nada había dicho. Se levantó y dijo con firmeza y serenidad: «¡Quiero al esclavo Yusuf!»

Un grito de asombro se elevó de entre todos los que componían la asamblea testamentaria: jueces, cortesanos y guerreros. A todos les pareció una elección extravagante. El muchacho había elegido al viejo Yusuf como si fuese un objeto de valor.

Pero la posesión del esclavo implicaba el dominio de todo lo que el rey le había legado. La ley vigente sobre la esclavitud ordenaba que todo el patrimonio de Yusuf fuese propiedad legítima del joven, ahora dueño de la mayoría de los tesoros de su difunto padre.

Hay que saber elegir.

Un amigo, después de escuchar muchas confidencias rescatadas de la tradición oral, contó:

«En tiempos oscuros de guerras "santas", la reina se quedaba sola en su alcoba. El monarca, heroico cruzado matador de "infieles", se demoraba en sus afanes durante años. Ella dormía acalorada, añorante, desnuda, sin cinturón de castidad.

El joven guardia conocía la condición de la reina. Noche tras noche cumplía con valor y resignación su obligada misión de custodia.

Una noche, especialmente perfumada y cálida, eligió. Tomó una decisión de alto riesgo. Entró en el aposento. Se desnudó, se metió en el lecho real y acomodó su cuerpo en la mejor posición...

Hasta el amanecer sólo se escuchó este tenue diálogo, una y otra vez:

—¡¡¡Cómo se atreve, soldado!!! —balbuceaba la reina.

—Entonces... ¿la saco, señora? —respondía el visitante nocturno.

—¡¡¡Cómo se atreve, soldado!!! —contestaba su majestad.

Y el joven, con envidiable firmeza, humildemente, también solicitaba instrucciones:

—Entonces... ¿la saco, mi reina?

—¡¡¡Cómo se atreve, soldado!!!

Hay que saber elegir... con inteligencia.

XIX

La bestia

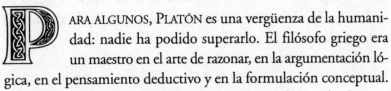

PARA ALGUNOS, PLATÓN es una vergüenza de la humanidad: nadie ha podido superarlo. El filósofo griego era un maestro en el arte de razonar, en la argumentación lógica, en el pensamiento deductivo y en la formulación conceptual.

Pero cuando el *logos* o la definición específica no le alcanzaba para expresar con claridad su mensaje recurría al mito, al sueño, a la alegoría, o al cuento.

Así, nos dijo que a un hombre lo habían encerrado con una bestia. Era un animal terrible, iracundo, ansioso. Rápidamente el pobre prisionero descubrió que algunas cosas que él hacía tranquilizaban a la fiera, volviéndola menos temible. Y así fue como el sujeto comenzó a llamar bueno a todo lo que apaciguaba a la bestia de sus exigencias. Con el tiempo, el valor bueno era el que correspondía a todo aquello que contentaba a su pavorosa compañía.

Para Platón, la bestia es el cuerpo y sus incansables apetitos. El verdadero hombre era el alma confundida y asustada.

El mito es muy rico en significados. Además del cuerpo, los hombres tenemos otras bestias que conformar: mandatos sociales, familiares, jefes o subalternos.

—¿Cómo fue tu día, amigo?

—Bueno. La bestia no protestó.

¡Cuántas cosas hacemos para mantener serena alguna fiera! ¡Qué extensión y sabiduría tiene el relato del sabio filósofo! La bestia, atenta, vigila nuestros movimientos, nos esclaviza.

A veces, todo el esfuerzo está puesto en poner contento al jefe, a la suegra o al esposo. Cada uno sabe a que bestia atiende.

La liberación espiritual consiste en escuchar sólo la voz del alma y dejar los ronquidos quejosos de la bestia en el plano de la ilusión. La elevación por la luz anula la condición de esclavo y de bestia.

La verdad manumite.

XX

El corcho

〜〜〜

L A ACTITUD CREATIVA acaba con las lamentaciones y las excusas. Es calidad de percepción, acción inteligente que nos permite superar los conflictos con la riqueza de alternativas que nos ofrece cada situación.

La creatividad despierta el poder que duerme en nuestra imaginación; es osadía, aventura para descubrir y aprender de los cambios; es respuesta hábil, no impotencia explicada o reclamación por lo que nos falta.

Hace años, un supervisor visitó una escuela primaria. En su recorrido observó algo que le llamó poderosamente la atención: una maestra estaba atrincherada detrás de su escritorio, los alumnos estaban provocando un gran desorden; el cuadro era caótico.

Decidió presentarse:

— Permiso, soy el supervisor de turno. ¿Algún problema?

—Estoy abrumada, señor, no sé qué hacer con estos chicos... No tengo láminas, el ministerio no me manda material didáctico, no tengo nada nuevo que mostrarles ni qué decirles...

El supervisor, que era docente de vocación, vio un corcho en el desordenado escritorio. Lo cogió y con aplomo se dirigió a los chicos:

—¿Qué es esto?

—Un corcho, señor... —gritaron los alumnos sorprendidos.

—Bien, ¿de dónde sale el corcho?

—De la botella, señor... lo coloca una máquina..., del alcornoque..., de un árbol..., de la madera... —respondían animadamente los niños.

—¿Y qué se puede hacer con madera? —continuaba entusiasta el docente.

—Sillas..., una mesa..., un barco...

—Bien, tenemos un barco. ¿Quién lo dibuja? ¿Quién hace un mapa en la pizarra y coloca el puerto más cercano para nuestro barquito? Escriban a qué provincia argentina pertenece. ¿Y cuál es el otro puerto más cercano? ¿A qué país corresponde? ¿Qué poeta conocen que naciera allí? ¿Qué produce esta región? ¿Alguien recuerda una canción de este lugar?

Y comenzó una tarea de geografía, de historia, de música, economía, literatura, religión, etc.

La maestra estaba impresionada. Al terminar la clase le dijo conmovida:

—Señor, nunca olvidaré lo que me enseñó hoy. Muchas gracias.

Pasó el tiempo. El supervisor volvió a la escuela y buscó a la maestra. Estaba acurrucada detrás de su escritorio, los alumnos otra vez en total desorden...

—Señorita, ¿cómo está? ¿No se acuerda de mí?

—Sí señor, ¡cómo olvidarme! Qué suerte que haya regresado. No encuentro el corcho, ¿dónde lo dejó?

XXI

Morir en Teherán

LAS GOLONDRINAS SIGUEN llegando a tiempo a San Francisco, también a su tiempo parten del hemisferio sur. No contamos los latidos de nuestro corazón cuando dormimos, ni controlamos la órbita de Júpiter.

Sin embargo, o tal vez por eso, los movimientos son exactos: hay un orden oculto que pone armonía al mundo manifiesto y al invisible. No hace falta que le avisemos al sol cuando debe asomarse u ocultarse. Sabe nacer y morir solo.

Se cuenta que un poderoso y rico señor persa fue sorprendido, mientras paseaba por sus jardines, por su más fiel sirviente. Con cara de terror, y muy agitado, le dijo:

—Ayuda, mi señor. Algo terrible me ha ocurrido: acabo de enfrentarme con la muerte, aquí mismo. Vi sus ojos, me observó con detenimiento...

—¿Qué necesitas?

—Por favor, présteme el más veloz de sus caballos. Necesito

llegar hoy mismo a Teherán. Allí tengo protección, mujer, amigos, albergue. Quiero esconderme.

—Concedido. Vete ya.

El honorable señor siguió su caminata por el parque y de repente se encontró con la muerte. Le preguntó con serenidad:

—¿Por qué asustaste al más querido de mis sirvientes?

—Todo lo contrario. He sido yo quién se ha sobresaltado. Esta noche debo hallarlo en Teherán y estaba aquí, en tu casa.

El pensamiento ocupa un lugar importante en la vida, pero no puede ocupar toda la vida.

Hay un orden oculto que sigue visitando a los lirios del campo con paciente belleza.

Una noche, un campeón olímpico de natación tropezó. Estaba completamente borracho. Su cabeza cayó dentro de un charco. Al amanecer lo encontraron ahogado.

A veces la muerte no cita en el mar; no lo alcanza.

En otras oportunidades, unas pocas gotas le sobran para sus inesperados brindis. Siempre sus encuentros son especiales, con perfecta puntualidad.

XXII

Compasión

NA VIUDA NO ENCONTRABA consuelo debido la pérdida de su marido. Lo único que le proporcionaba cierta paz era caminar por la aldea arrastrando el esqueleto del difunto.

Los parroquianos veían con terror y profundo silencio ese cuadro de desesperanza y locura.

Un día, alguien le aconsejó a la mujer que visitara a un médico que entendiera de su mal. La torturada esposa se acercó al sabio profesional y le abrió su corazón.

—No tengo alivio para tanto dolor. Extraño a mi esposo. Sólo cuando camino arrastrando sus huesos siento que me acompaña.

—La comprendo perfectamente. Soy viudo, a mí también lo único que me ayuda ante tanto sufrimiento es salir acompañado del esqueleto de mi mujer.

Cuando la viuda se sintió comprendida y contenida en su angustia, un profundo estado de confianza invadió todo su ser. Por primera vez alguien la había escuchado sin temor.

—Me gustaría que saliéramos los cuatro el domingo a pasear. ¿Tienen ustedes algún compromiso? —invitó el médico desde su excelente generosidad.

—Ninguno. Será un placer —respondió alegre la paciente. Y concertaron el encuentro.

El sanador se procuró un esqueleto en el cementerio. Y ese domingo los aldeanos observaron con renovado pavor el paseo de los cuatro. Era un cuadro conmovedor.

Caminaron amenamente hasta que decidieron comer algo y descansar. El médico eligió acampar cerca del río. Después de un almuerzo frugal optaron por echar una siesta. La viuda se acostó al lado de los huesos de su marido; el médico hizo lo propio con los restos de su mujer. Los cuatro se quedaron profundamente dormidos. De pronto, el compasivo galeno se despertó. Tiró al agua los esqueletos de ambos y comenzó a vociferar como si hubiese enloquecido:

—Los vi, los vi. ¡Traición! Fue tu marido. ¡Allá van!

La corriente los llevaba... La viuda comenzó a gritar indignada:

—¡Traidor! ¿Cómo eres capaz de hacerme eso? A mí, que te fui totalmente fiel.

—Déjalos ir mujer, ¡que sigan su camino! Ellos sabrán. Nosotros nos quedamos aquí.

Y se cortó el mal.

Cuando se encuentra la generosidad excelente de la compasión, con la entrega de la total confianza, surge el milagro curador de la medicina.

¡Qué capacidad creativa deberá tener quien nos ayude a liberarnos de nuestros esqueletos queridos!

¡Qué compasión!

XXIII

El grano de arroz

 A VIDA NOS PONE A VECES ante pruebas muy doloro-
sas. La visita de lo irreparable o nos fortalece o nos
quiebra.

Sólo la comprensión puede ofrecer un remanso de paz, sobre
todo cuando uno ha sentido las raíces mismas del sufrimiento.

Un padre no encontraba consuelo por la muerte de su hijo.
Buscó ayuda por doquier, sin encontrar respuestas. Las palabras o
los silencios le resultaban huecos, cuando no insultantes. La vida,
un total absurdo.

Se acercó a Buda con reservas, desesperanzado, y le contó su
drama. El maestro respondió con segura compasión:

—No te preocupes. Lo tuyo tiene inmediato alivio. Es muy
sencillo: debes conseguir que alguien te regale un grano de arroz.
Nada más.

—¿Un grano de arroz?

—Nada más. Pero no aceptes ese pequeño regalo de una familia en la que haya muerto alguien.

El hombre salió pronto en su búsqueda obsesiva. Pidió por doquier, con insistencia, sin tregua. Pero en todas las casas y en todos los casos alguien había muerto.

El grano de arroz adecuado quedaba siempre invalidado.

Fueron tantas las veces que escuchó la presencia de la muerte que en el océano del dolor universal encontró la paz de la comprensión.

La lágrima del dolor individual fue absorbida por el mar inagotable de la vida, en movimiento permanente. Las olas del dolor personal se realizaron en la mágica unidad del agua.

Fue un diamante de compasión recomendado por Buda. Abundante, cercano, eterno, y simple como un grano de arroz. Nada más.

XXIV

Sensibilidad

RISNAMURTI SE HABÍA HOSPEDADO en la magnífica casa de un antiguo discípulo. La atención era excelente; sin embargo, el dueño de la residencia observaba cierta tristeza en su querido maestro. Preocupado por algún presunto malestar, preguntó:

—Te veo triste, Krisnamurti. ¿Te falta algo? ¿Qué puedo hacer por ti?

El sabio no respondió. El amigo insistió en su pregunta, pero no obtuvo respuesta. De pronto, Krisnamurti contestó:

—Estoy triste porque no me amas.

—¿Cómo dices eso? ¿No te ofrezco mi casa, el automóvil, la servidumbre, mis cuidados?

—Sí, lo reconozco. Pero tú, ante los otros amigos, te sientes orgulloso de que esté albergado en tu casa. No me amas.

Hace años, al dejar la Trapa de Azul, después de haber permanecido como huésped de la comunidad del silencio, me despedí agradecido de uno de los monjes:

—Quisiera dejar algo como contribución al monasterio...

—No tienes obligación alguna. Te hemos tenido como huésped.

—Entiendo y se lo agradezco, pero he ocasionado gastos. Me parece correcto dar algún dinero... Así me sentiré mejor.

—No tienes que dejar nada. ¿O es tan grande tu orgullo que no puedes aceptar que se te atienda porque sí, por amor, sin ninguna retribución?

Sensibilidad es silencio respetuoso con la vergüenza ajena.

No es el llanto de la madre que suplicaba a Dios para que las bombas cayesen en la población de enfrente, donde no estaban sus críos.

«Todos son tus hijos», dice la sensibilidad; locales o extranjeros, presos o libres, ofendidos o humillados, rubios o morenos, sanos o con sida.

No preguntes por quién doblan las campanas. Lloran por ti. Sólo la inocencia puede ser apasionada.

A veces una mirada, un gesto o media palabra sirven para alegrar o malograr un día. Hay estímulos que afectan a nuestra susceptibilidad, el aspecto más pequeño y vulnerable de nuestra personalidad.

Otros tienen registros mucho más finos; llegan al alma; comprometen a nuestra sensibilidad.

La puerta del corazón no tiene pestillo exterior, se abre desde dentro.

XXV

Niveles de reflexión

ÓCRATES ENSEÑABA QUE UNA VIDA sin reflexión no es digna de ser vivida. El filósofo advertía a los atenienses de su época de que Dios lo había colocado entre ellos como a un tábano sobre un noble caballo. Para picarlos y mantenerlos despiertos.

Los griegos no agradecieron la tarea del sabio: lo silenciaron con cicuta. Hoy seguimos recordándole con admiración.

Es muy importante que demos a las acciones de nuestra vida una mirada crítica. En este sentido, la presbicia es una enfermedad inteligente: alrededor de los cuarenta años, para poder leer bien debemos alejar el texto de nuestros ojos. O tomamos distancia o pedimos unas gafas al óptico.

Sin embargo, hay niveles de reflexión, según nuestros compromisos.

Un antropólogo amigo me comentó, con humor, que advertía la clara diferencia entre la reflexión racional y la «reflexeta»: un análisis riguroso, «en camiseta», con mayor sinceridad.

Pero además existen condiciones de total comunicación, donde no hay lugar para las medias palabras ni para ningún ocultamiento. Se trata de la «reflexota», una reflexión en penumbra. Aireada.

Allí no corresponde mentir ni postergar. Es el lugar de la palabra honesta, plena, desvelada.

Todos sabemos en qué niveles transita la necesidad de reflexionar con otros acerca del sentido y la proyección de nuestras acciones. Pero es imprescindible comenzar ya con alguna de las opciones.

Un afamado juez de Londres solía usar asiduamente el servicio de ferrocarril. Era un profesional tan atareado como querido.

En una oportunidad, el revisor le solicitó el billete para su control. El juez buscó en su pantalón, en su chaleco, en su portafolio, con gran ansiedad y bochorno. El billete no aparecía. El atento inspector le dijo:

—No se preocupe, doctor, lo conozco; cuando llegue a su casa busque con tranquilidad el billete, y por cortesía lo entrega cuando pueda en Administración.

—¡Pero amigo —respondió el honorable letrado—, no estoy preocupado porque no pueda enseñarle a usted mi billete...; es que, si no lo encuentro, no sé dónde bajar!

Decía Sócrates:
«Una vida sin reflexión no vale la pena de ser vivida.»

XXVI
El momento más feliz

CUANDO ALGUIEN RECUERDA el momento más feliz de su vida se conecta con una energía de elevación, un sentimiento íntimo, muy grato de plenitud.

Esos breves instantes de «alta experiencia» imprimen intensa calidad a nuestra trayectoria, nos conmueve su renovada frescura y su conexión con lo esencial.

Para algunos fue el nacimiento del hijo deseado, para otros un encuentro, o la recuperación de la salud. El ascenso esperado, un salvamento. Plasmar una lograda forma artística.

Conocí un episodio vivido por un padre y su hijo adolescente. Fueron sorprendidos por una violenta pandilla armada que amenazó a ambos de muerte.

A cada uno le apoyaron en la sien un revólver amartillado, preparado para disparar. Se miraron profundamente, despidiéndose. Tan fuerte fue esa silenciosa comunicación que se transformó en el momento más elevado de sus vidas.

Ello permitió, una vez superado, por suerte, el ocasional maltrato, una nueva amistad de almas. Sentí esa energía cuando me lo contaron.

En una comarca se originó un feroz incendio. Los aldeanos pidieron auxilio a la ciudad más cercana. Pronto se presentaron los bomberos de la metrópoli con su alta tecnología. Estudiaron el movimiento del aire, hicieron una línea de contención y explicaron que no se podía hacer nada más hasta que el viento no cambiase de dirección.

Los pobladores, ahora desesperados, se acordaron de los bomberos voluntarios que sostenía la población de un barrio. Inmediatamente apareció un camión colorado, con hombres excedidos en peso, con los cascos desparejos y despintados. A toda velocidad pasaron a través de la multitud, atravesaron la línea de protección y llegaron hasta el mismísimo pie de las llamas. Allí se abrieron en abanico, tiraron agua, tierra... Chamuscados, hicieron un cerco hasta que dominaron el incendio.

La población los recibió con una ovación. Era el momento más feliz del pueblo. También lo era para los heroicos servidores.

El alcalde, conmovido, entre aplausos, entregó una donación al equipo salvador. Un periodista preguntó al jefe de bomberos:

—Felicidades. ¿Qué destino le darán a este dinero?

—Lo primero, amigo, es lo primero: ¡arreglar los frenos del camión!

¡Cuantas veces por falta de frenos aparecemos en incendios donde debemos hacer cosas increíbles para salir airosos! Y después de un tiempo de recuperación, poder contarlos como los momentos más felices de nuestra vida.

XXVII
Midas

❧❧

ERA PODEROSO, REY Y RICO, pero sin inteligencia. Por tanto, se sentía débil, vanidoso y pobre. Dominaba Frigia, comarca del centro de Asia Menor; una civilización avanzada que fue invadida por lo cimerios, a finales del siglo VII antes de Cristo, cuando Midas era su gran monarca.

Era amigo del dios Pan, quien solía entretenerse forzando melodías con su flauta de siete tubos. Halagado el aprendiz de músico por los elogios de su real compañero, desafió al dios de la armonía. Apolo aceptó sin titubear.

Los dos rivales eligieron como árbitro a Tmolos, anciano rey de Lidia. Pan arrancó algunos aires grotescos que, no obstante, sonaron de maravilla a los oídos de Midas. Después cantó Apolo, con los divinos acordes de su lira. Tmolos, conmovido, consideró a Pan perdedor. Midas protestó y pronunció un larguísimo discurso en defensa de Pan. Y seguía perorando cuando observó que debajo de sus cabellos le brotaban dos orejas largas y peludas.

Ante tal prodigio Pan se dio a la fuga, asustado. Apolo se retiró sin protestar, seguro y conforme por el insólito episodio.

Midas pidió a su barbero que le arreglase las orejas, en total secreto, bajo pena de muerte si se lo decía a alguien. El asustado peluquero instaló en la cabeza del torpe rey una diadema, para disimular.

Este secreto oprimía de tal manera el pecho del oficioso sirviente que no podía contener el deseo de dar a conocer una aventura tan graciosa y, a la vez, tan peligrosa.

Hizo un pozo en la tierra y le contó a las profundidades del hoyo la historia de las orejas milagrosas. Aliviada su alma, tapó cuidadosamente la abertura y el secreto real con suficiente tierra y se retiró feliz a su casa.

Pocos meses después nació en ese mismo lugar un frondoso cañaveral que al ser agitado por el viento repetía: «El rey Midas tiene orejas de burro... ¡Orejas de burro!»

Cansado de tantos rumores y desaciertos, Midas abandonó Frigia y se refugió en la amistad de Baco; éste, para alegrarlo, le concedió la primera gracia que pidiese. Midas no dudó. Solicitó que todo lo que su mano tocase se transformara en oro. Y así fue. Se rodeó de un entorno dorado y brillante. Pero aún no se había puesto el sol cuando ya suplicaba que el poder desapareciese. Quería comer algo natural, no oro.

Baco, movido por la compasión, lo dejó libre de tan incómodo privilegio y le aconsejó que se bañarse en el río Pactolos. Todavía estas aguas siguen arrastrando valiosas partículas doradas...

También por el planeta se arrastran muchos Midas, sin inteligencia, ostentando exagerado oro, orejas de burro y desafinados lamentos por su triste destino.

XXVIII

El mono salvador

EL HOMBRE SÓLO EVOLUCIONA en la medida en que sirve, que colabora, que se abre generosamente a las necesidades de los otros. El egoísta no puede ver ni escuchar, está centrado exclusivamente en su propio interés personal, magnificado y tremendo, dentro de sí mismo. Sin apertura de corazón ni de horizontes.

Pero el servicio exige movimientos excelentes: motivación esclarecida, metodología adecuada y actitud positiva ante los resultados. En caso contrario, se está contribuyendo a intensificar el dolor y el malestar conjunto.

Había un mono corpulento, forzudo yególatra. Se jactaba de ser buen nadador. Se acercó a un río caudaloso y se lanzó a las aguas dispuesto a llegar hasta la otra orilla. La corriente, que no entiende de primates ni de soberbias, arrastró sin piedad al animal hasta una violenta y mortal cascada. El mono luchaba valientemente contra las aguas pero pronto descubrió que era inútil todo esfuerzo y se entregó a su fatal destino resignado.

De pronto aparecieron en la corriente unas piedras salvadoras. El animal trepó rápidamente con inmensa alegría. Era un milagro, un mensaje divino, no lo podía creer. Un profundo sentimiento de gratitud se despertó en su interior y quiso, desde entonces, ayudar, servir.

Y se quedó atento, mirando el río tempestuoso.

Cada vez que veía pasar un pez entre las piedras y el agua lo sacaba para que no muriese ahogado como pudo haberle ocurrido a él.

Todavía se puede ver al mono salvador ayudando a los peces a salir del agua. ¡Para que no se los lleve la corriente!

No hay nada más peligroso en un grupo que un tonto voluntarioso, con ganas.

Lo que es bueno para uno, ¿será bueno para todos?

Existen muchos más monos salvadores que navegantes de la vida, prudentes, serviciales, inteligentes.

¡Cuántos cardúmenes soportan las maniobras exhibicionistas de los monos hiperactivos!

XXIX

Símbolos

❦

EXISTIÓ UNA ÉPOCA EN QUE los dioses hablaban a los hombres y jugaban con ellos. Les confiaban sus secretos y les regalaban sus aventuras para que los seres mortales tuviesen sueños.

Así nacieron cuentos, mitos y leyendas; alegorías, misterios y símbolos. Los dioses no eran perfectos. Simplemente vivían con osadía amores y amoríos, deseos y logros, heroísmos y fugas.

El Olimpo era una fiesta de episodios insólitos, magnánimos y mezquinos. Zeus explicaba que así seguiría «hasta que los hombres fuesen capaces de generar sus propios sueños».

Ninguna imagen tiene un solo sentido. Todo símbolo es polivalente. La verdad sobre las cosas es al mismo tiempo lo eterno. Lo permanente no se puede expresar de forma directa: «En un grano de pimienta, si así quieres entenderlo, hay una imagen de todas las cosas superiores e inferiores.»

Existió un sabio que siempre respondía con exactitud a cualquier pregunta que se le formulara. Uno de sus jóvenes discípulos, al que dominaba la soberbia, quiso poner un límite a tanta suficiencia. Y escondiendo una mariposa, le preguntó:

—Maestro, ¿está viva o muerta?

Según fuese su respuesta, el muchacho demostraría todo lo contrario: si muerta, dejándola en libertad; si viva, oprimiéndola entre sus dedos.

El sabio leyó en los ojos la intención de la pregunta y contestó con la seguridad propia de su condición liberadora:

—Depende de ti.

De la misma manera, en cada uno de nosotros está la posibilidad de que la mariposa simbólica tome vitalidad, aire, vuelo. O que se seque y muera en la descalificación propia del pensamiento racional estricto.

Los símbolos sólo pueden adquirir vida a través del permiso de nuestra imaginación creadora. Y en la misma medida nos ofrecen nuevos horizontes, respuestas insospechadas. Inteligencia y profundidad para abrir caminos de comprensión; también de superación de nuestros conflictos actuales.

La crisálida es símbolo del porvenir imprevisible. Se forma de manera frágil y enigmática. Oruga o mariposa. Como una juventud rica en promesas; una mente abierta a las mejores direcciones. O a las más cerradas y tristes prisiones.

Los cuentos ponen a prueba la calidad de nuestros sueños. Valen por lo mucho que encierran. Se pierden en los tiempos. Tienen algo de los dioses. Son símbolos inteligentes.

El Gran General cabalgaba al frente de su ejército, el más grande y poderoso del imperio. Ninguna dinastía había tenido tanto poder militar en el planeta. Todas las jerarquías de mando y las compactas tropas, fieles a su gran jefe, marchaban soberbias por la avenida triunfal del terror. Eran los más temidos del mundo, los más crueles. El gran jefe miró amenazante al cielo y vociferó:

—¿Hay alguien en el mundo más fuerte que yo?

Como única respuesta, una formación de golondrinas cruzó el cielo silencioso de la pradera y una de ellas defecó. El excremento cayó en los ojos del guerrero total.

El estiércol de golondrina produce ceguera. Y el gran jefe perdió su valiosa vista.

El ejército se quedó sin la fuerza que emanaba de su líder único. Se desbandó como los granos de arena en una tormenta del desierto. Con su Gran General ciego no podían hacer nada y el miedo los devoró. Fueron exterminados.

Moraleja: a veces la caca de una golondrina puede más que el poder de los ejércitos. Incluso el más soberbio y temido de los triunfadores.

XXX

Ábrete, Sésamo

❧❧❧

LA ASTROLOGÍA FUE ANTERIOR a la astronomía; la alquimia devino en la química. La explicación astrológica se hizo ciencia. Pero la magia vuelve cada vez que se pronuncian las palabras correctas.

Así lo dice el antiquísimo «Principio de Rumpelstilzchen», tal como lo enseñan los que conocen sus secretos.

Existen dos tipos de palabras: la húmeda, que germina como elemento de vida en el huevo cósmico, expresión de la simiente macho que penetra por la oreja; y la seca, que carece de conciencia y es indiferenciada.

La palabra más convocante es «a comer».

Pero no sólo de pan vive el hombre; la que inaugura la magia es: «Érase una vez.»

La imaginación es fuente de enfermedad y salud. El chamanismo es la medicina de la palabra creadora. «Levántate y anda», despierta a muertos y dormidos. Imaginar hace que suceda.

El maestro espiritual solía beberse una jarra de leche. Un discípulo llenó el recipiente con cal y agua y esa mañana lo preparó para que el sabio se sirviera. El maestro bebió con naturalidad. ¡Pero fue el tramposo el que tuvo fuertes dolores de estómago! Aquí actuó una comunicación silenciosa.

«Ábrete, Sésamo», es la voz justa que da paso al interior de la montaña y a sus fabulosas riquezas. Las que escondían los cuarenta ladrones, día tras día.

Pero aquel que se encerró entre las piedras para robar los tesoros acumulados jamás pudo salir con vida de allí. Había olvidado el poder de la palabra mágica, la capacidad de la palabra húmeda, el principio del sonido exacto.

El pobre hombre, aprisionado más que nada por la avaricia y la deslealtad hacia su pariente, fue encontrado exhausto gritando: «Ábrete, girasol»... «Ábrete, maní»...

Por todo ello, *Alí Babá y los cuarenta ladrones,* pieza excepcional de *Las mil y una noches,* sigue siendo un importante tratado de magia y de ética.

Constituye una extraña joya de sabiduría de las edades; difícil de encontrar en la astronomía, la química o la ciencia en general. Pero que confirma una vez más el viejo «Principio de Rumpelstilzchen» que dominan los magos y los niños, que conocían los hermanos Grimm e ignoran los ávidos rapaces, políglotas de palabras secas, incapaces de ascender al poder inteligente del «ábrete, Sésamo».

XXXI
Creso

EY DE LIDIA DE 563 A 546 antes de Cristo, fue célebre por su riqueza, que consiguió sacando oro del río Pactolos. En sus aguas, Midas se había bañado para liberarse del poder metalizador que le había concedido, en respuesta a su deseo, su amigo Baco.

Creso fue rico, un rico poderoso, invadió Frigia y dominó el Asia Menor. Se sentía el hombre más feliz de la tierra. Esplendoroso en sus bienes e ignorancia, visitó a Solón, el legislador más sabio de Grecia. Y Creso le preguntó:

—¿Has conocido a un hombre más feliz que yo?

Solón había superado todo afán de poder. Sabía que la democracia peligraba por la estupidez y codicia de los hombres. Había suprimido la servidumbre por deudas. Estaba convencido de que el más simple de los campesinos era más feliz que cualquiera de los reyes; sabía que lo más difícil en la vida es llegar a la percepción exacta de los límites. Y le respondió serenamente:

—Nadie puede afirmar lo que tú dices, Creso, hasta el momento de su muerte. Todos los mortales sobre los que luce el sol están abrumados por las fatigas.

En la segunda parte de su vida, Creso fue vencido por Ciro, el fundador del imperio persa. Lo perdió todo.

Cuando iba a ser degollado, uno de sus hijos, que hasta entonces había sido mudo, gritó:

—Soldados, no maten a Creso, fue el más rico de todos los reyes.

Y esto salvó momentáneamente su vida.

Al poco tiempo, Creso fue condenado a morir en la hoguera. En el último momento recordó las palabras del sabio y por tres veces consecutivas pronunció con fuerza su nombre:

—Solón..., Solón..., Solón.

Ciro preguntó por las causas de tan extrañas exclamaciones. Y al enterarse, profundamente conmovido por el alcance de las vicisitudes humanas, perdonó a Creso. Lo nombró consejero y cuidó de él.

En la vida es rico quien tiene la fortuna de contar con un consejero como Solón, y mucho más quien consigue desarrollar dentro de sí, y con su propio estilo, alguna de las cualidades del sabio.

Repetir textos iluminados no concede a nadie sabiduría.

No es lo mismo tener oro, como el pobre Creso, que ser rico interiormente, con inteligencia.

XXXII

El abuso no quita el uso

SÍNTESIS DE VIDA, resumen inteligente de muchas observaciones mundanas, los refranes son evangelios abreviados. No engañan.

Es conveniente no abusar de ellos porque «a buen entendedor, media palabra basta»:, y «quien mucho abarca, poco aprieta»: todo se suelta.

Quien cuenta, aumenta.

Por ello, los monaguillos llevan las velas, no hablan. Hay que nacer a lo que uno predica.

Los refranes brotan de la experiencia colectiva. Se crean constantemente. El daño a la comunicación que puede generar su abuso no anula el valor y alcance de su adecuado uso.

«Palabras viejas: aguzad las orejas.» «Para novedad, los clásicos».

«Con conocimiento y aplicando.» «La boca dice por abundancia del corazón.» «Es mejor tener que desear.» «Amor que no es algo loco, logrará poco.»

Todas las profesiones son conspiraciones contra los profanos. Pero nadie sabe bien su oficio si no lo toma por vicio. «Donde está el rey, allí va la corte.»

Vive ya, no te prepares para hacerlo mañana. No hay vida en borrador. «Poco daño espanta, mucho amansa.»

Con los refranes habla el sentido común, el más infrecuente de los sentidos.

«Comas lo que comas, te matará si vives lo suficiente.» «Vive cada día como si fuera el último y acabará siendo verdad.» «El celibato no es hereditario.»

Con conocimiento, aplicando. La boca dice por abundancia del corazón. Es mejor tener que desear.

Cuando un jefe cuenta un chiste a su personal, el que mejor ría será el que dure más en el empleo.

No te preocupes por la edad madura, la superarás. La audacia es un reino sin corona. El ciego no tiene pudor.

Para comunicarse bien hay que «sacarse las espuelas». No hacer como aquel que metió «la pata porque se le fue la mano». No es para cualquiera la bota de potro.

Y no hay que sentarse en la mesa hambriento: así no se puede saborear la comida.

El problema del trabajo es que quita mucho tiempo.

En el corazón de cada uno de los que escuchan o leen vive la flor oculta de la intuición. Las palabras son dispositivos de seguridad: reducen lo extraño a la normalidad colectiva.

«Quién desposó a una mujer por interés, tendrá hijos tristes.» Las canciones más bellas son las que no se han cantado.

Se acerca el momento en que los pensamientos serán de propiedad pública y se presentirá lo que los demás piensan.

Uno no es una monedita de oro para gustarle a todos. Ni es

oro todo lo que reluce. Y el dinero no tiene olor. Quien administra hacienda ajena nunca se queda sin cena.

Dejamos lo que tenemos y nos llevamos lo que dimos. Hoy no basta con satisfacer, hoy debemos sorprender. «Matar al ladrón no cierra la puerta.»

Si no nos basta con los refranes se pueden usar o abusar de las coplas:

> *De quejarse o no quejarse,*
> *no quejarse es lo mejor.*
> *Pues no he visto que las quejas,*
> *alivien ningún dolor.*

O de las adivinanzas-refranes:

—¿Cuándo tiene más plumas una gallina?
—Cuando tiene el gallo encima.

O de las recetas sentencias:

«Para una buena ensalada cuatro hombres hacen falta: un sabio para la sal; un pródigo para el aceite; un avaro para el vinagre; y un loco para revolverla. Luego llega el quinto, hambriento, y se come en un minuto lo que hicieron juntos el sabio, el generoso, el loco y el avariento.»

«Cien refranes, cien verdades.»

«Quien come hilo defeca ovillo.»

«No estorbar casi es ayudar.»

«El hijo que sale al padre saca de dudas a la madre.»

«No es de ahora el mal que no mejora.»

«Hombre sin envidia la bondad lo guía. Lo poco es poco, pero nada es menos.»

«Año de higos; año de amigos. El acento suena y el tono envenena. De ensalada y visita, poquita.»

«Las potencias de la mente son cuatro: memoria, comprensión, voluntad y hacerse cargo.»

De esta última habilidad social no es frecuente su uso inteligente y mucho menos su abuso.

XXXIII

Pigmalión

❧❧❧

SCULTOR APASIONADO. Vivía en la isla de Creta. Modeló en marfil una estatua tan bella que se enamoró perdidamente de sus formas. Se inspiró en Galatea para modelo, la ninfa sensible que había amado al más horrible de los cíclopes, a Polifemo. También a Acis, el bello pastor de Sicilia.

Al mismo tiempo, Pigmalión rogó al cielo por la vida y alma de su obra.

«Dioses soberanos, exclamaba, concededme que de esta criatura tan adorable pueda yo lograr mi deseada esposa.» Mientras, la besaba y la acariciaba.

Por mandato de Venus el marfil se hizo carne. La estatua de la mujer ideal, por el poder amoroso y proyectivo del artista, se transformó en lo que él sabía que era: una fiel amante y compañera; en su más querida realidad.

La psicología estudia y aplica el alcance individual y social del efecto Pigmalión. Lo podemos comprobar en nuestra vida diaria. Logramos de los otros lo que esperamos de ellos.

Conseguimos del medicamento lo que confiamos que obtendremos de él. Placebo significa complaceré. Una pastilla de almidón neutra, tomada por rigurosa prescripción médica, nos produce efectivamente bienestar. Se transforma en *nocebo* si le atribuimos efectos dañinos. Nos afecta negativamente y nos produce acidez.

No es recomendable hablar de alimentos contaminados mientras se está comiendo. Ni tener relaciones íntimas con culpa y miedo. Infectan y bajan las defensas.

Se conoce el «síndrome del cumpleaños cincuenta»: genera depresión. La comunidad atribuye a un número una proyección colectiva de comportamiento. Y nos dejamos llevar, actuando de acuerdo con esta idea. Es un mandato social.

La perspectiva de un suceso hace que se cumpla. Si una comunidad piensa que determinado banco quebrará, ocurrirá indefectiblemente algún día. Porque todo la población sacará sus fondos de ese banco, se devolverán sus cheques, nadie pagará sus saldos deudores. El banco quebrará.

Hay abundante documentación histórica. Lo que diferencia a una cortesana de una dama no radica en la forma que tienen de conducirse, sino en la manera de tratarlas. El tema fue magníficamente abordado en un clásico del cine: en *My Fair Lady,* bajo la inspiración de Bernard Shaw.

Otelo es un extraño modelo de confianza. En Yago, su amigo, no en Desdémona, su mujer. No todo en él es desconfianza.

El jefe obtiene lo que proyecta de sus subordinados. Lo mismo ocurre entre el docente y sus alumnos. Y viceversa. Hay efectos Pigmalión positivos y negativos.

Se trata de un mito y a la vez de un concepto teórico valioso. Hay experiencias controladas donde se demuestra que el éxito en el comportamiento de los alumnos radica solamente en las expectativas que estaban en las mentes de los profesores. Muchos cerebros de piedra están esperando besos y caricias, confianza total en sus posibilidades.

Es increíble las cosas que solemos hacer para demostrar y demostrarnos que nuestras profecías se cumplen.

A sus 95 años, el tío Carlos seguía comiendo cuatro huevos fritos todos los días. Parientes, amigos y médicos mucho más jóvenes le aconsejaban moderación, cuidado, dieta...

El abuelo contaba con su filosofía práctica: «Al hígado hay que meterle miedo. Así no se envalentona y comienza a exigir.»

En la vida es muy bueno pensar de forma optimista. El proyectar un mundo de realización personal con el corazón lleno de amor, con belleza, con inteligencia, a lo Pigmalión.

XXXIV

Hércules

NOS REPRESENTA. ES EL HÉROE, el forzudo del pueblo con el espíritu redentor de don Quijote. El semidiós que quiere elevarse de su condición mortal.

Es el hijo de Júpiter, eterno, y de Alcmena, terrena. Odiado por Juno, esposa legítima de su padre, su madre «legal», vengativa, celosa, que metió dos serpientes en su cuna cuando contaba sólo con ocho meses de edad para que le dieran muerte temprana.

Hércules, casi bebé, las mató con toda naturalidad, sin esfuerzo, en defensa propia, custodio de su destino superior. Tan grande era su fuerza y decisión.

Tuvo excelentes maestros, incluido el famoso centauro Quirón. El rey de Micenas, Euristeo, con quien estaba ligado por un decreto de la Suerte, lo llamo para confiarle doce trabajos imposibles:

—¿Qué hay de tu educación, Hércules?

—En todas las realizaciones soy experto. Conozco las artes, las ciencias y los libros. Domino las destrezas del campo, de la navegación y de la caza. Pero te advierto, mi Señor, que he matado a todos mis maestros. Los he superado.

—Los héroes se prueban en las acciones. No te vanaglories, hijo mío, y demuestra la naturaleza de esa libertad que sientes, tu profundo deseo de servir.

El maestro llamó y los dioses vinieron. Le dieron a Hércules sus dones y muchas palabras de consejo, conociendo los trabajos que tenía por delante y sus peligros.

Minerva le entregó su túnica, Vulcano forjó para el héroe un pectoral de oro, Neptuno le dio un par de caballos. Mercurio, una rara espada en un estuche de plata: «Debe dividir y cortar», le dijo. Apolo le entregó un arco de luz.

De pronto, Hércules corrió hacia un bosque cercano, ante la mirada perpleja de los dioses.

Volvió del fondo del bosque sosteniendo un enorme garrote de madera:

—Este es mi propio regalo. Nadie me lo impuso y esto sí que lo puedo usar desde mi propio poder. Dioses, observen mis hazañas supremas.

Y entonces, sólo entonces, el maestro le dijo:

—Sal a trabajar.

Y le encomendó doce trabajos:

1. Matar al león de Nemea.
2. Destruir la hidra de Lerna.
3. Capturar al jabalí de Erimanto.
4. Atrapar viva a la cierva del monte Cerinia.
5. Abatir a los pájaros del Estínfalo.
6. Limpiar los establos de Augías.
7. Capturar al toro de la isla de Creta.

8. Domar a las yeguas de Diomedes.
9. Apoderarse del cinturón de Hipólita, reina de las amazonas.
10. Arrebatar a Gerión sus bueyes.
11. Encadenar a Cerbero, guardián del infierno.
12. Coger las manzanas de oro de la sabiduría del jardín de las Hespérides.

Muchas veces se desorientó; otras fracasó. En algunos casos obtuvo un éxito parcial, mas no declinó su aspiración de elevarse y servir, de entregarse al bien de todos, agotando los deseos de su personalidad al surgimiento y brillo de su alma.

Fatigado por los doce trabajos realizados, regresó victorioso y humilde a los pies de su maestro que lo recibió diciéndole:

—Bienvenido, Hércules. La joya de la inmortalidad es tuya. Has superado lo humano y ganado lo divino. Has llegado al Hogar para no dejarlo más. En el firmamento estrellado está escrito tu nombre para siempre. Tus tareas cósmicas comienzan.

La muerte es una ilusión para los que viven y creen que existe un lugar de descanso total. Los héroes no sueñan intervalos libres de fatigas, ni aun llegando a la condición de dioses.

Como a Hércules, la vida nos depara, a todos sin excepción, alguna prueba más de idoneidad, de inteligencia. En la tierra o en los cielos.

XXXV
Salomón

~~~~~

NA ANTIGUA LEYENDA atribuye al poder de un anillo el vasto conocimiento de Salomón, el hombre más sabio de su tiempo.

En cierta oportunidad, se le cayó la sortija mágica en el río Jordán y debió esperar a que un pescador la recuperase de las aguas para recuperar de nuevo su magnífica inteligencia.

El anillo fue, para algunos, el símbolo de su sabiduría. Y del poder que llegó a tener sobre todos sus súbditos. Un sello de fuego recibido del cielo. Un dominio espiritual y material con el que guió a hombres y demonios.

Otras fuentes consideran que la sabiduría del rey Salomón provenía de sus quinientas esposas. Una convivencia capaz de poner a prueba al más experimentado, y de matar por agotamiento, físico y psíquico, a cualquier inexperto.

Lo cierto es que, ya muy anciano y moribundo, el sabio rey languidecía postrado en su cama. Sólo le quedaba esperar su gloriosa despedida. El carbón al rojo vivo de un brasero mantenía caliente la habitación. Fue entonces cuando irrumpió un muchacho de la corte y dijo:

—Vengo a llevarme una de las brasas.

—¿Cómo la vas a llevar? —preguntó un médico que acompañaba a Salomón.

—Con la mano —respondió solícito el muchacho.

El rey Salomón, que había escuchado cautelosamente el diálogo, se inclinó. Quería ver de qué manera el joven recibía una dolorosa lección.

El mozalbete se dirigió al brasero y se llenó la mano con una buena cantidad de cenizas frías; tomó rápidamente un carbón encendido y salió corriendo. Sin quemarse.

Salomón suspiró profundamente. El médico, atento a todos sus movimientos, le preguntó:

—¿Qué está haciendo, mi rey?

—Estoy aprendiendo. —Y murió.

XXXVI

Los pájaros del deseo

ALTAN COMO GORRIONES inquietos. Procuran objetivos difusos o claros, pero inconstantes.

Generan un fugaz contentamiento; rápidamente se desplazan a nuevas tentaciones inalcanzables. Buscadores de logros inasibles, terminan provocando dolor y agobio.

La persecución constante del placer va secando el corazón.

Quien está contento por algo, desconoce la alegría sin objeto. El goce porque sí. En él actúa la propia plenitud. La riqueza interna, no por la acumulación de *stocks*, almacenamiento de lo fatuo, exhibición de marcas.

Una sociedad demasiado centrada en el consumo, en lo prescindible, en lo urgente, no serena a los pájaros del deseo. Los agita, los estimula. Así, las cosas y la velocidad se deifican.

Un hombre sintió el deseo de comprarse un sofá. Estaba admirado de sus colores, forma, marca y presencia. En la oficina, solía imaginarse lo hermoso que quedaría instalado en su salón un objeto tan bien diseñado.

Un día se decidió a dar satisfacción a su poderoso anhelo: compró el sofá. Logró lo que tantas veces había valorado en la vidriera de la mueblería vecina.

Al día siguiente, en el trabajo, imaginaba constantemente la manera en que había cambiado su casa con tan importante adquisición. Salió unas horas antes de lo habitual para admirar su compra, y al abrir la puerta de su apartamento tuvo una horrible sorpresa.

En el sofá, justo allí, encontró a su mujer en una situación íntima muy comprometido con un amigo.

—Ah no, esto no lo voy a tolerar. Esto no va a quedar así —gritó desesperado. Y devolvió el sofá.

A partir de entonces no volvió a su casa fuera de horario, y comenzó a soñar con otro objeto digno de deseo, menos complicado.

XXXVII

De mitos y dioses

❧∞❧

EL MITO ES UNA DRAMATURGIA de la vida social, una historia o filosofía poetizada.

Los héroes transitan del fracaso al éxito y del éxito a la gloria. Mueren en el combate no por enfermedad crónica, sino por longevos. Se enamoran. Son masculinos tiernos.

La energía de Marte, dios de la guerra y de la acción, se transforma en ellos en arrebato sublime, empresa osada, reivindicación. Los héroes «desfacen entuertos» por generosidad, por mandato de su alma.

Hércules: el que vino a trabajar. Se desprenden de él ricas leyendas que muestran al personaje oscilando entre el atleta de feria y don Quijote. Representante idealizado de la fuerza combativa; símbolo de la victoria del alma humana sobre sus debilidades, tránsito de la dificultad al triunfo. Encarna el «ideal viril helénico», eso que pertenece al cielo y no al humano. Pero debemos aprender mucho de sus aventuras.

Los trabajos a los que se sometió voluntariamente pueden

ser aplicados a las condiciones del hombre contemporáneo. Cada uno de nosotros es un héroe en embrión que debe alcanzar el dominio de las fuerzas tormentosas que habitan en su interior. Una tarea sólo se supera pasando por ella. Hércules probó la calidad de sus respuestas en la ilusión y en su anhelo de llegar a ser dios. A través de manifestaciones visibles expresó energías invisibles de su condición espiritual.

Los hechos extraordinarios realizados por Hércules llegaron a oídos de Onfalia, la reina de Lidia, que ardió en deseos de conocer al héroe incomparable. Y al verlo por primera vez, lo amó.

Hércules fue seducido por la belleza de la reina. Se dispuso a complacerla en todos sus deseos, en las más serviles condescendencias y sumisiones, muchas de ellas indignas de su gloria.

Onfalia ordenaba; el héroe servía. Era un Marte enamorado, víctima de la explotación sentimental femenina. La reina lo despojó de la piel de león que siempre lo había acompañado desde su adolescencia. No la consideraba elegante.

Le tiró su tosco arco de madera, testimonio silencioso de tantas glorias. Rompió sus flechas. Lo vistió con ropa femenina y colocó en sus manos la rueca y el huso. Le ordenó que trabajara, que tejiera.

Y con aquellas poderosas manos con las que había llegado a aterrar a los monstruos más temibles, Hércules comenzó a hilar vellones de lana para complacer a su caprichosa mujer. Onfalia gozaba enormemente con los apuros de su increíble marido y le pegaba cada vez que por desgracia rompía o enredaba el hilo.

A Hércules le llevó un tiempo salir del envilecedor yugo matrimonial. Una ardiente pasión por Deyanira logró despertarlo a nuevas aventuras. Tuvo que luchar cuerpo a cuerpo con el dios del río Aqueloo, que era el prometido de su flamante amada. Lo venció y se la llevó a la ciudad de Tirinto. Pero el centauro Neso también le robó a la mujer que deseaba, y Hércules debió rescatarla.

El centauro despechado le regaló a Deyanira una túnica envenenada convenciéndola de que la tela poseía el poder de avivar el cariño conyugal y devolver siempre a sus esposas los maridos infieles.

En su ingenuidad y por amor, Deyanira le regaló a Hércules la capa ponzoñosa y el héroe comenzó a debilitarse de forma paulatina.

Fue entonces cuando el gigante decidió realizar la más gloriosa de sus hazañas: hizo una enorme pira con unos troncos y se tendió sobre ella para morir sobre el fuego purificador.

Todos los dioses celebraron la apoteosis de Hércules. Hasta la propia Juno, la esposa de su padre, que nunca lo había aceptado, y siempre le había perseguido, le concedió como esposa a su propia hija Hebe, la diosa de la eterna juventud, la de los hermosos tobillos. El premio ideal para cualquier héroe.

En Irlanda, la función del Hércules clásico la asume Cuchulainn, hijo del dios Lugh, que simboliza únicamente la fuerza pura, el aspecto mágico de la función guerrera.

En los cuentos de hadas, como en los mitos, siempre encontramos implicados parientes cercanos, primos, vecinos, amigos y enemigos. Héroes y antihéroes caseros, infatigables, a veces inteligentes.

XXXVIII

¿Cómo estás, mi amor?

ESE MEDIODÍA SOLEADO volvía de charlar con un amigo. Sus problemas económicos y financieros ocasionados por la situación de la Bolsa amargaban su vida y sus negocios. Y en el mismo centro de Buenos Aires, en el barrio de San Telmo, en la esquina de Belgrano y Perú, un hombre ciego se movía nerviosamente, con rostro preocupado, ansioso. Me acerqué y le pregunté:

—¿Qué necesita?

—Espero a una chica y no llega —respondió.

—En esta esquina no hay ninguna mujer esperando —le tranquilicé.

—Por favor, ¿me puede ayudar?... Ella vendrá en el autobús 86. Seguramente llegará en el próximo vehículo. ¿La puede esperar?

Observé que se acercaba un autobús y lo animé contestándole que me ocuparía de averiguar si venía la joven.

Al acercarme unos metros a la parada otra mujer, ciega, comenzó a pedir a viva voz que la ayudasen a subir al autobús 86. La tomé del brazo para acercarla al autobús, que ya estaba parando, mientras le preguntaba:

—¿Espera a un amigo?

—No, sólo al 86 —me respondió.

Mientras le ayudaba a subir al autobús observé que por la puerta delantera intentaba descender otra mujer ciega. La ayudé a bajar y le pregunté:

—¿Espera a un muchacho?

—Sí, en esta esquina, tengo una cita —me respondió inquieta.

—Quédese tranquila, está aquí... la acercaré —le dije, mientras pensaba en este mediodía de ciegos que me había deparado el destino.

Cuando la mujer llegó hasta su esperado amigo, extendió la mano y tomó su brazo. Sus rostros se iluminaron con una alegría interna, expansiva, indescriptible, y le dijo, desde su alma agradecida:

—¿Cómo estás, mi amor?

Y con esa falta de pudor propia de los ciegos se abrazaron con pasión sagrada, mientras me alejaba conmovido pensando en la opulencia que da el amor y la pobreza de los que sufren por los millones que los poseen a ellos.

En el centro de Buenos Aires, superpoblado de rostros tensos, una pareja sin mirada en los ojos impregnó mi vista, como si me dijesen:

«No se puede andar una sola calle sin amor.»

XXXIX

Envejecer

L A RUTINA NO ES BUENA para el hombre. No permite la entrada del cambio, de lo creativo, del asombro. Agrega días casi iguales, como hojas secas, en una novela que a nadie le interesa. Ni a su propio autor.

Solemos ser tan viejos como nuestros recuerdos y tan jóvenes como nuestros proyectos. La repetición uniforme de un libreto, de un movimiento, ofrece seguridad automática, pero termina aburriendo por la ausencia de sorpresas, de aprendizajes.

Envejecemos como hemos vivido. Triste cosa es envejecer, pero es el único modo de vivir mucho tiempo en un mismo cuerpo.

«Sus hechos son los que hacen viejo a un hombre», decía Ovidio.

La vejez pone más arrugas en el espíritu que en la cara. Nada hay tan deforme en un viejo como su preocupación por cosas sin ninguna importancia.

El tránsito de hada a bruja es rapidísimo, como el del gineceo al aquelarre.

Las viejas son como esas matas sobre las que crecían las rosas; ahora las flores han caído y sólo quedan las espinas.

Los ancianos se complacen en dar buenos consejos porque así se consuelan de no encontrarse en situación de dar malos ejemplos.

Dickens cuenta que varias veces se encontró en compañía de viejas señoras de ambos sexos.

«Todas las mujeres de edad avanzada que conozco pueden dividirse en tres clases: las ancianas amables, las mujeres ancianas y las viejas brujas», decía Coleridge.

Si quieres ser viejo mucho tiempo, hazte viejo pronto. «Nadie es tan viejo que no crea poder vivir un año más», decía Cicerón.

Leña seca para quemar. Caballo viejo para cabalgar. Vino viejo para beber. Amigos ancianos. Y libros viejos para leer.

Triste es llegar a esa edad en la que todas las mujeres agradan y no es posible agradar a ninguna.

Agatha Christie aconsejaba a sus amigas casarse con anticuarios, pues según envejecían se iban poniendo más interesantes para sus maridos.

Fernández, un colega amigo, me confió este doloroso relato:

«Enrique, mira lo que me pasó. Me encontré con una antigua alumna mía de hace muchos años. Siempre me gustó esa chica, Mariela; creo que estaba enamorado de ella.

»—¡Mariela!, qué alegría encontrarla, yo fui su profesor de Filosofía en secundaria, ¿me recuerda? —la chica me miró atentamente y contestó:

»—No señor, está confundido; yo en Filosofía tuve al señor Fernández.»

Un grupo de amigas casadas, elegantes y vitales decidió visitar París, sin sus respectivos maridos, para celebrar sus bodas de oro.

La excursión turística de las veinte señoras mayores duró una semana. Al regresar, el avión que las traía tuvo un accidente y se estrelló.

Las mujeres llegaron todas juntas a visitar a san Pedro. El santo portero estaba muy atareado. Para determinar el destino del grupo preguntó rápidamente:

—¿Algunas de ustedes, mientras estuvieron en Francia, tuvo algún pensamiento pecaminoso con algún francés..., simplemente un deseo de intimidad? ¡Den un paso al frente las que lo reconozcan!

Todas menos una dieron un paso hacia delante... Pedro, conmovido por tanta sinceridad, dijo:

—Estarán solamente tres días en el Purgatorio, luego entrarán en el Cielo... Y, por favor, ya que van juntas, llévense también a la sorda.

XL

El elefante memorioso

～～◦≫⊂≪◦～～

AY ANIMALES QUE TIENEN fama de poseer una extraordinaria capacidad nemónica. Entre todos, destaca el elefante.

Cuentan que el dueño de un circo de pueblo estaba desesperado por lograr más réditos de sus «hermanos menores», puesto que las funciones no conseguían atraer al público que se merecían. Se le ocurrió entonces organizar un original concurso. Ofreció 5.000 dólares a quien consiguiera levantar a un elefante en el aire al menos 15 centímetros del suelo. Pero para poder competir había que abonar 50 dólares.

Concurrieron los forzudos del pueblo y aledaños y ninguno pudo; todos fracasaron sin paliativos. El noble animal era demasiado pesado. De pronto, apareció un japonés, un hombre delgado y bajito, y depositó sus 50 dólares rodeado del escepticismo y suspicacia del público espectador.

El hombre, muy seguro, se metió bajo el elefante y con dos tablitas oprimió de un palmazo los testículos del paquidermo, que se elevó por el aire, a más de 20 centímetros de altura, en un salto limpio. El organizador del certamen tuvo que entregar al hombrecito los 5.000 dólares prometidos.

Pasó el tiempo y el propietario del circo intentó un nuevo negocio. Ahora ofrecía otros 5.000 a quien lograse que el paciente animal moviese la cabeza, primero de arriba abajo, afirmativamente, y luego hacia los dos costados, negativamente.

Todos los musculosos de la localidad apostaron los 50 dólares reglamentarios y, sin excepción, fracasaron estrepitosamente. De pronto, apareció entre la multitud el hombre delgado y bajito, el afamado japonés de las tablitas, con sus 50 dólares.

—Usted no puede participar porque me lastima al Dumbo. Lo conozco bien ——le advirtió el dueño.

—No señor, yo no tocar al elefante, no dañar.

—Si es así, deposite los 50 dólares.

El japonesito se subió a una silla y le habló al elefante al oído: inmediatamente, el animal movió la cabeza como diciendo «sí», y luego meneó su enorme tronco superior diciendo «no». Todos quedaron estupefactos. El pequeño mago cobró su dinero mientras el dueño le exigía una aclaración.

—Simplemente le pregunté: ¿te acuerdas de mí?

—¡Síííí!

—¿Quieres que te lo haga de nuevo?

—¡Noooo!

Muchas veces en nuestras vidas hemos volado por los aires con maniobras similares; sin embargo, no hemos aprendido absolutamente nada. Recordad: es por falta de memoria.

XLI

Importancia del estímulo

TODOS NECESITAMOS ALGUNA muestra de aprobación para seguir con nuestros afanes diarios. Un estímulo es un reconocimiento, un visto bueno, una muestra oportuna de afecto que vuelve a engendrar el entusiasmo inicial que se fue perdiendo en la rutina diaria del esfuerzo.

Hay palabras, gestos, encuentros indispensables en la convivencia. Son mínimos, pero esenciales; fugaces, pero se recuerdan, tan económicos como indispensables. Sin embargo, no abundan en nuestra sociedad; más bien son interpretados como signos de debilidad, una forma de ceder en el combate interminable de las exigencias.

¿Por qué seremos tan mezquinos con estas gratificaciones que nada cuestan y siempre queremos recibir?

¿Quiere usted cambiar el clima humano en su ambiente laboral, familiar, deportivo?

Le ofrezco una iniciativa muy simple para que la aplique e investigue sus consecuencias: cada vez que pida algo a alguien diga «por favor» y mencione su nombre. Cuando obtenga lo que ha pedido, no olvide decir «muchas gracias».

No se trata de memorizar el procedimiento que recomiendo, se trata de aplicarlo, pues si no carece de todo valor.

Una importante vaquería de Argentina adquirió en la Exposición Rural una vaca lechera extraordinaria, hermosa, de fabulosa producción diaria. El magnífico ejemplar, un caso único, durante años brindó abundante y excelente leche, pero un día no dejó caer ni una sola gota de su generoso y robusto cuerpo. Los vaqueros, preocupados, consultaron a los veterinarios más cualificados y todos fracasaron. La vaca dejó de dar su excelente leche. Desconsolados, los productores pidieron ayuda a un campesino del lugar famoso por su criterio y sencillez.

El experimentado hombre de campo, que había conocido muchas vacas en su vida, pidió «conversar» a solas con el animal. Todos, desde lejos, lo vieron hablarle al oído durante cinco minutos. Terminada su conversación, el buen hombre anunció que ya estaba superado el problema, por ahora...

La vaca volvió a ofrecer su mejor leche y abundante, como lo había hecho siempre. Todos querían saber los secretos de la técnica y acosaron con preguntas al sabio ordeñador. El hombre, humildemente, respondió:

—Saben lo que ocurre, que hace diez años que le aprietan las tetas y nunca nadie le dijo: «Te quiero.»

Es tan frecuente sentir diariamente que nos oprimen con fuerza por algún lado, sin recibir nunca un pequeño estímulo gratificador...

XLII

El golf

❦

PARA ALGUNOS SE TRATA de un hermoso paseo estropeado por una pelotita, para otros es un implacable juego de autorrivalidad narcisista o un exhibicionismo de habilidades eróticas sublimadas, un simbolismo entre palos, hoyos y pelotas.

El golf es ajedrez en el césped. El menos natural de los deportes. Sus placeres son infinitos, exactamente como sus frustraciones y fracasos.

Pareciera que es el palo el que mueve al jugador y no el *player* al palo. Ahí está el secreto del *grip;* saber agarrar pero no aferrarse.

Esta inteligencia es muy útil en la vida: averiguar qué es lo que nos suele tener asidos al sufrimiento inútil y discernir con ello el margen de maniobra que nos permite semejante atadura. Cómo fluir.

Hay un secreto en los «movimientos de cintura» como en las relaciones personales. Muy especialmente en el *top* del *backs-*

wing: el pensamiento cesa y actúa la sabiduría de la personalidad integrada: cuerpo, sentimiento y mente.

Un pensamiento quiebra la acción. La situación más difícil en el campo se produce cuando la pelota queda enterrada en la arena. No se sabe a qué se le pega. También complican los *fairways* muy estrechos, los *greens* rápidos y las pendientes alocadas.

Pero conocer la magia del golf nos puede ayudar a distinguir con precisión la tensión productiva de la mera agitación, la que nos impide avanzar, de la misma forma que en neumonología se distingue la tos útil de la inútil.

El golf es una filosofía del autopoder. Se trata de lograr y conocer el punto de armonía entre el pensamiento y el cuerpo; el goce entre las motivaciones y las habilidades, transitar de la competición a la aceptación.

Para valorar el disfrute, tanto del escenario natural como de las interrelaciones sociales, conviene preguntarse, especialmente si se es un experto: ¿alguna vez jugué al golf?

Son más los que lo sufren que los que lo juegan. Esto es, disfrutar como expresión de la libertad. Y son muchos menos los que lo aplican en todos los terrenos, externos e internos; como sabiduría práctica.

Alguna vez ¿habrán «jugado» al golf, aun siendo veteranos?

XLIII

Despioje primitivo

SEGÚN ENSEÑAN LOS ANTROPÓLOGOS, nada ha superado en ternura al despioje primitivo.

El monito inclina su cabeza en el regazo de su madre para que ella le quite los piojos instalados en su abundante pelo. Es un ritual higiénico muy frecuente que la mona realiza con sumo cuidado y que su criatura disfruta incansablemente por necesidad y placer.

Ahora bien, aunque el monito no tenga piojos, su madre realiza esta ceremonia de todas maneras porque la cría recibe los beneficios incomparables de la mano materna, siempre generosa y solícita, sobre su cabeza.

Los gatos y los perros agradecen y buscan las caricias sobre la frente. Incansables y fieles, disponen sus frontales a los dedos cómplices, amigos, incapaces del coscorrón o del pellizco.

Horacio Quiroga, en *Cuentos de la selva,* explica que la tortuga gigante que está en el zoológico de Buenos Aires, cerca de la jaula de los leones, fue la que trajo al cazador malherido desde la provincia de Misiones.

Ella le pidió especialmente a su amigo que la fuera a visitar todos los días, y así lo hizo su siempre agradecido compañero.

Cuenta también Quiroga que cada vez que la tortuga es visitada no deja salir al cazador sin que le dé unas palmaditas en su caparazón...

¡Al estilo del despioje primitivo!

¿Nunca sentiste de pequeño, o ya de mayor, el deseo de que una mano tierna escarbe sobre tu frente y tu pelo, tan limpio como memorioso?

¡Nada ha reemplazado en esta sociedad tecnológica y apresurada al minucioso y mimoso despioje primitivo!

XLIV

Límites afectivos

UN AMIGO, APESADUMBRADO, me contó un episodio que le había afectado profundamente. El hecho, por su simpleza, parecería no tener ninguna gravedad. Sin embargo, para él significó una reflexiva conmoción sobre los orígenes y descontroles de los afectos, tanto de los que damos como de los que recibimos.

Su historia dio lugar a una intensa conversación que me parece, ahora, digna de transmitir. Pienso que puede abrir reflexiones similares, búsquedas esenciales sobre nuestras relaciones interpersonales.

«Mira, Enrique. Esa tarde esperaba el autobús para ir hasta la estación Lanús y había huelga. El servicio estaba retrasado. Me estaba situando pacientemente en la larga cola cuando un perrito se acercó y se puso a jugar conmigo. Como tenía tiempo suficiente respondí a su movimiento y el perrito me siguió atentamente, con cariño.

»Cansado de esperar, decidí caminar las cuarenta calles hasta mi casa. El perrito, fiel, jugaba y retozaba con su fantasía de haber encontrado dueño. Me alegraba de que mi caminata fuese compartida con tanta simpatía por alguien pequeño, lanudo, realmente querible. Así llegué a la calle final y el perro, fiel, a mi lado. Fue entonces cuando descubrí el límite; no podía tenerlo conmigo en casa. Carecía de espacio, de comodidad, de tiempo. El perrito no entendía mis dificultades. Todo lo contrario. Cada vez estaba más animado de su nuevo destino...

»Comencé a echarle unas piedras. El perrito, siempre animoso, pretendía seguirme.

»Yo comenzaba a sufrir.

»Necesitaba entrar rápidamente en casa. Así fue que me arriesgué y le di una patada...

»El perro se retiró, mirándome con unos ojos inolvidables... Anoche no dormí.»

La mujer le dice al marido:

—Querido, hoy es Nochebuena y hay que comer pavo. Vete al corral y mata al que tenemos, que ya está a punto. Yo me voy porque no puedo ver esas cosas.

—¿Matar al pavo? ¿Y cómo se hace?

—Es muy fácil. Le sirves una copa de coñac y se queda dormido en seguida. Eso después le da un gustito especial a la carne... y lo matas... Me voy.

El hombre buscó al animal y destapó una botella:

—Toma una copita compañero, que te va a gustar. Yo también voy a brindar contigo. Dale, que está bueno. No te achiques.

Una hora después llegó la mujer:

—¿Mataste al pavo?

—Mira, si le tocas una pluma te mato. Es mi amigo —replicó el hombre con voz ronca, alegre y entrecortada.

Había establecido un vínculo afectivo, aparentemente sin límites.

XLV
Deseos

❦

KRISNAMURTI SOLÍA preguntar imprevistamente:

—¿Estás desperdiciando tu vida?

Y si el interlocutor se demoraba en contestarle, agregaba:

—Ves, tardas en responder; estás desperdiciando tu vida. Si no, me responderías de inmediato.

Si mágicamente alguien nos ofreciese satisfacer nuestro máximo deseo, ¿sabríamos responder de inmediato qué queremos? ¿Sabríamos pedir bien?

Se cuenta que Ramiro y Nicasia, muy entrados en años, vivían sumidos en la pobreza, con frío, hambrientos, en un miserable ranchito. Sus hijos, ya mayores, habían partido buscando mejor suerte; nunca los visitaban. Allí estaban ellos, frente a un modesto brasero, con el estómago vacío, maldiciendo su destino y la infelicidad recíproca de haberse encontrado en la vida.

Dios, desde las alturas, alcanzó a ver al desesperanzado matrimonio y, solícito, envió al ángel Gabriel para que otorgara a la pareja la realización de tres deseos, comenzando por Nicasia. La pocilga se llenó de luz y el arcángel, tranquilizador, les trajo la buena nueva...

—Comienza tú a pedir Nicasia; elige bien —y desapareció tan bellamente como había llegado.

La mujer se sintió conmovida y comenzó a maldecir su situación.

—Tener que pedir algo —repetía—; primero yo, y con el hambre que tengo, si por lo menos hubiese un chorizo sobre el fuego.

Y el chorizo apareció entre las brasas. Al ver la concreción de la boba petición de su mujer, Ramiro la reprendió:

—¡Pero a quién se le ocurre gastar un deseo así, no tienes remedio, me indigna tanto que me gustaría que el chorizo se te pegase en la cara, por idiota!

Y el chorizo dio un salto y se incrustó en la nariz de su mujer. Nicasia comenzó a gritar desesperada:

—¡Me quemo, me quemo; por favor, Dios mío, sácame esto de la cara!

Y el chorizo desapareció. Se quedaron exactamente igual que estaban cuando los visitó Gabriel. Habían desaprovechado las tres oportunidades.

Fray Mamerto Menapace reflexiona sobre lo distinto que habría sido el resultado si Nicasia le hubiese preguntado a Ramiro qué le gustaría obtener de Dios que beneficiase a ambos; y de igual manera, si Ramiro le hubiera preguntado después a Nicasia qué pedir de bueno para los dos.

Si hubiesen podido salir de su encierro personal, egoísta y chato, y cada uno se hubiese abierto al sueño y a la necesidad del otro para su beneficio común, no tendrían que lamentar, otra vez, sórdidamente, el haber malgastado tres deseos, desperdiciando la vida.

Se comenta que esa noche tanto Dios como Gabriel se sintieron un poco decepcionados de sus obras salvadoras y de los viejos matrimonios quejosos. Comenzaron a mirar a los extraterrestres movidos por un extraño deseo de encontrar mejor suerte y no desperdiciar su valioso tiempo.

XLVI
Robar el dulce a los ciegos

EL QUERIDO AMIGO OCTAVIO HANOT, dibujante, astrólogo, cabalista, pacifista y meditador, a los 96 años estaba internado en el Servicio Geriátrico Francés que se encuentra en Parque Chacabuco. Se había radicado en Buenos Aires, escapando de la guerra del 14 al 45 que asoló Europa.

Vivía dignamente con la pensión que le llegaba de Francia, su país natal, concedida por su origen y edad; y era distinguido y respetado en la comunidad de abuelos y bisabuelos que poblaba la institución. Soltero crónico por convicción, no tenía familiares.

Cuando le visitaba siempre lo encontraba aseado, muy cuidado, bien vestido, con traje y corbata; sentado, a su lado, alguna compañera del asilo conversaba atentamente con él y rápidamente desaparecía cuando alguien llegaba para saludarle.

La ancianidad había acrecentado su sabiduría, pero se encontraba paralítico y sin visión; nunca hablaba de sus males; sus charlas fluían animosas tratando temas mucho más amplios que los propios de su situación personal.

—¿Qué tal, monsieur Hanot, cómo estamos?

—Hola, Enrique, qué gusto verte —me contestaba, reconociendo la voz de la pregunta.

Rápidamente comenzaban a fluir los temas que le preocupaban:

«¿Qué me dice del muro de Berlín? ¿Y del fundamentalismo que viene?

»Le aseguro, Enrique, que el planeta Tierra no es benéfico; tiene que limpiar muchas maldades acumuladas.

»¿Qué conoce del derrumbe ruso?

»Sobre los extraterrestres lea el libro *S.O.S.*, que está en español; lo que se dice ahí es correcto.»

Y los distintos tópicos saltaban uno tras otro, con una riqueza conceptual y una energía que nunca vi decaer.

—¿Y qué tal lo pasa aquí, don Octavio?

—Esto está lleno de viejos miedosos. El terror a la muerte los enloquece, no aspiran a otra vida superior. No los entiendo. Sabe usted, Enrique, que aquí hay un personaje ¡que me roba el dulce en el desayuno! Le digo —agregó— que a mí no me preocupa mucho, pero ¿qué le pasa a este hermano?

Y continuaba su conversación con agudeza y autoironía:

—Por la noche escucho a un hombre quejoso, no puede dormir, está en la habitación contigua a la mía, y reitera:

»—No puedo dormir..., no puedo dormir... monsieur Hanot, no puedo dormir.

»Y entonces con voz muy serena le respondo:

»—¿Y cómo va a poder dormir si de día anda robando el dulce a los ciegos?»

»Entonces —me explicaba Octavio riendo—, el hombre me promete que no lo va a hacer más, y le digo:

»—Bueno, duerma tranquilo, yo le voy a cuidar el sueño, no tenga miedo, no se va a morir.

»Y se duerme.»

—¿Deja de robarle el dulce? —le pregunté.

—Durante unos días. Después vuelve a las andadas. Sabe usted, no es un hombre muy ocurrente ni habilidoso.

Ahora, al hallar a Octavio en la distancia del recuerdo, me sigo preguntando: ¿Cómo puede alguien dormir tranquilo si durante el día se alimenta de hurtar a necesitados que no pueden defenderse?

No es fácil en la vida encontrar a un amigo inteligente, padre o maestro ocasional como monsieur Hanot, capaz de cuidar el sueño reparador de las fechorías diarias como, por ejemplo..., la de robar el dulce a los ciegos.

XLVII

Para bailar hay que sacarse el facón

❦

ACE MUCHOS AÑOS, CUANDO era viejo, trabajé como maestro y director en la Escuela número 72 en Cañadón Chileno, Río Negro. Entonces se la denominaba «escuela de personal único en zona muy desfavorable»; 20 grados bajo cero en invierno, terreno agreste, precordillerano, marrón, con algunas minas de arcilla, caolín, que eso significa «Comallo», nombre indígena de la estación de tren más cercana, a unos 40 kilómetros de distancia.

Para las fiestas patrias solía organizar un baile... El comisario de Comallo colaboraba enviándome un gendarme para mantener el orden y las buenas costumbres, teniendo por mi parte la responsabilidad de cuidar al agente servidor.

No bien iban llegando los paisanos a la pista ubicada en el interior de una casona semidestruida debían dejar en la puerta el facón, medida preventiva de posibles grescas sangrientas, habituales en esas reuniones de euforia, frustración y buen vino del Alto

Valle. En la penumbra de candiles observaba de qué manera crecía una montañita de cuchillos con sus vaínas que los hombres de campo dejaban dócilmente a indicación del único uniformado.

Desde entonces quedó en mi memoria la fuerza simple de una imagen: para bailar hay que sacarse el facón. Es imposible moverse con agilidad y ritmo, durante una noche, teniendo semejante arma en la cintura. Para bailar hay que soltarse, tener confianza.

La imagen que aprendí en mis años de maestro rural me fue sumamente útil. En numerosas oportunidades comprobé la múltiple aplicación de su mensaje práctico, especialmente en Argentina, país de gran desconfianza, donde todos aprendimos desde muy chicos de uno de nuestros héroes criollos, Martín Fierro, que es fundamental que el cuchillo esté siempre preparado de modo que, si sale, «salga cortando».

En mi actividad profesional posterior pude verificar, tristemente, en directorios, empresas, colegios de graduados, hospitales, comercios, familias, etc., cómo las personas no pueden moverse con libertad cuando están cuidando sus defensas, porque visualizan ataques imaginarios o reales, en vigilia o en sueños. Al interactuar en vínculos de miedo, toda la energía disponible se pone a la defensiva; por tanto, queda poco entusiasmo para el juego, el disfrute, la creación, el «baile» de un proyecto, conflicto, riesgo, potencial o real.

Un facón bien instalado, visible, decorado, llama a más facones y nuestras mentes en combate, trabajan en su peor condición.

En una ocasión conté esta historia a un grupo de importantes dirigentes de empresa, y uno de ellos, conmovido momentáneamente por el relato, dijo:

—Tiene razón, Enrique.

Y con movimiento rápido de cintura, a manera de aprobación, se sacó de encima una 45 y la colocó sobre la mesa de discusión. ¡Así iniciaba su primera reunión de trabajo!

Cañadón Chileno, 12 de mayo de 1999

SR. ENRIQUE MARISCAL
Capital Federal
De nuestra mayor consideración:

Nos sorprendimos y nos alegramos muchísimo al recibir su carta y su libro, el cual nos resultó muy interesante; especialmente el cuento «Para bailar hay que sacarse el facón».

Es admirable, que recuerde esta zona, de la cual nos sentimos parte.

Le contamos que la Escuela en la que Ud. prestó servicios ya no funciona como tal. Hoy contamos con un edificio nuevo, construido en 1975, a 500 metros aproximadamente del edificio antiguo. Actualmente, funciona como escuela hogar, en la que se albergan 31 alumnos y todo el personal docente. En la escuela trabajamos 11 personas, de las cuales 6 son Personal de Servicios Generales. Los alumnos permanecen en la escuela 15 días, y luego se retiran un fin de semana a sus hogares.

Estuvimos averiguando entre los pobladores de la zona, sobre sus ex alumnos y de su paso por este Paraje. Todos lo recuerdan muy bien y les agradaría verlo nuevamente.

El personal de la escuela lo invita a visitarnos para que pueda constatar los avances en este establecimiento.

Agradecemos que nos haya tenido en cuenta para enviarnos el libro.

Si desea venir le informamos que desde Bariloche a Comallo existen como medios de transporte: tren y colectivo. Además le pedimos que si Ud. decide visitarnos, nos avise a través de Radio Nacional Bariloche, en Comunicados a los pobladores rurales.

La escuela funciona de septiembre a mayo con un receso en diciembre.

Sin otro particular, esperando contar con su visita, nos despedimos muy cordialmente.

ADRIANA PATRICIA FULLONE
DIRECTORA TITULAR
Escuela N° 72 Pje. «Cañadón Chileno»

Cuando recibí esta carta me emocioné mucho. Mis alumnos me recuerdan muy bien; se construyó una escuela-hogar donde había un rancho, así lo había propuesto en un informe a las autoridades de Viedma en mi gestión de entonces; un grupo inteligente, original y sensible, asiste a una población de más de 30 chicos y, además..., gustó mi cuento.

Contesté de inmediato.

XLVIII

Convicciones

STA HISTORIA SUCEDIÓ en la provincia de Corrientes, pero podría haber acontecido en cualquier otro lugar. Un campesino veía con tristeza cómo desaparecía gradualmente su plantación de lino por la acción implacable de las isocas; esas mariposas nocturnas que con gran apetito devoran los tiernos brotes..., hasta tal punto que tomó la decisión de contraatacar al mal colocando una calavera de vaca mirando hacia el norte, según sus convicciones para estos casos, terminando así, definitivamente, con el flagelo depredador.

Pasaban los días y no se observaba ninguna mejora en el campo ni en el ánimo del agricultor. Los técnicos del INTA, conociendo su situación, lo visitaron y le sugirieron la necesidad de adoptar medidas inmediatas: fumigación aérea.

El hombre rehusó; repuso que no era indispensable tamaño despliegue cuando él ya había instalado la calavera mirando a Misiones, tal como había aprendido de sus abuelos, y que era evidente que estaba actuando...

El mal se intensificaba y había comenzado a afectar a los campos vecinos. La gente del INTA insistió en hacer una pasadita rápida, sin coste, como para ayudar simplemente...

El campesino, firme en sus convicciones, apuntalaba más alto la calavera, confiando en que el problema se iba a solucionar.

Por último, el INTA empezó a fumigar el campo, previo acuerdo, y al poco tiempo la plantación comenzó a revitalizarse, y el lino se salvó...

El campesino se puso muy contento por la fe en sus convicciones, y a todos les decía: «¡Qué bien trabaja la calavera con ese polvito!»

En Oxford, para hablar de otros ambientes, un profesor observó, al tomar whisky con soda, que sus pensamientos se volvían confusos. Entonces cambió por brandy con soda, y aumentó su desequilibrio. Por último, optó por gin con soda, y los efectos se multiplicaron. «No hay duda, dijo, es la soda.»

El espíritu de investigación y de aprendizaje exige tener convicciones, tanto como buena dosis de flexibilidad, para impedir que se confunda la firmeza con la tozudez, la realidad con el deseo, la joya con el estuche.

XLIX

El piano en la cabeza

N UNA CALLE MUY CONCURRIDA de Bombay vi a seis hombres, delgados, musculosos, erguidos y elegantes, que transportaban un pesado piano sosteniéndolo con sus cabezas. Era una modalidad de mudanza económica, muy oriental.

Los estilizados cuerpos desaparecieron rápidamente entre la multitud, pero el piano se mantenía soberbio, inconfundible sobre los cráneos de miles de hindúes que se movían con elasticidad por la calle, como si de alguna manera el pesado instrumento musical les perteneciese a todos en un desplazamiento aéreo compartido.

La imagen me llamó la atención y tuvo derivaciones prácticas posteriores. En numerosos ambientes de trabajo he visto cómo las personas concurren portando un pesado piano cada uno, no físico pero real. Se trata de un voluminoso cuerpo de cosas no resueltas, presiones, lazos con el pasado, frustraciones, que acompañan como un molesto instrumento desafinado, con el que no nos divertimos ni escuchamos música pero donde otros suelen ejecutar melodías inoportunas y desagradables.

Cada uno con su «piano» va llegando a la reunión. Todos tratan de no chocar con el del otro, que siempre parece más liviano y mejor barnizado y que despierta envidia: «Si yo tuviese un piano así, qué fácil me sería todo.»

Lo cierto es que si por alguna casualidad mágica o terapéutica alguien nos dijese:

—¿Por qué no deja semejante carga? Sabe usted cómo se sentiría de liviano, alegre, con enorme energía para nuevos proyectos... Vamos, largue ese fardo del ayer.

Seguramente no nos agradaría en absoluto la propuesta y responderíamos con cierta indignación:

—¡Cómo dejar mi pasado!, es mi vida, es mi piano, si me lo quita, ¿qué me queda? ¿No podría lustrarlo un poco, achicarlo, pulirlo? Pero, por favor, no pida que me lo quite o lo tire. Es mío; ¿qué sería mi vida sin él?

L

Savoir-faire

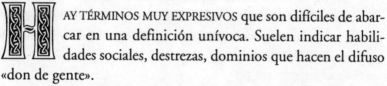

HAY TÉRMINOS MUY EXPRESIVOS que son difíciles de abarcar en una definición unívoca. Suelen indicar habilidades sociales, destrezas, dominios que hacen el difuso «don de gente».

Algunas palabras se explican mejor con un movimiento de manos como cuando uno aclara que quiere decir algo «fofo».

Lo cierto es que un grupo de diplomáticos, después de un copioso banquete internacional, regado de muy buen vino, que continuó en una intensa sobremesa adornada con buen coñac, llegaron a la conclusión conceptual de que la esencia de la diplomacia es tener *savoir-faire*.

Todos se sentían orgullosos del producto intelectual de sus animosas conversaciones hasta que uno de ellos preguntó tímidamente:

—¿Pero qué es *savoir-faire*? ¿Cuál es su esencia?

El grupo de embajadores entró en profundas cavilaciones y discursos hasta que el representante de Francia, autoridad tradicional en el tema, pidió la palabra para aclarar:

—*Savoir-faire* es lo que tiene un hombre que llega a su casa, entra en el dormitorio, ve que su mujer está con otro hombre en una posición íntima muy comprometida, y con aplomo dice: «Buenas noches.» Cierra la puerta y se retira.

Los especialistas aceptaron la aportación del francés hasta que el cónsul de Inglaterra, flemáticamente, pidió hablar:

—*Savoir-faire* es más que eso. Un hombre llega a la casa, entra al dormitorio, ve que su mujer está con otro hombre en una posición íntima muy comprometida, los mira y con aplomo dice: «Buenas noches», continúen. Cierra la puerta y se retira. Y si el hombre que estaba con la mujer puede continuar, ése sí tiene *savoir-faire*.

Los diplomáticos dieron por terminada su contribución a la naturaleza de su profesión y decidieron, por las dudas, volver rápidamente a sus casas, con una extraña sensación de inquietud y curiosidad difícil de definir.

Una señora elegante y fina contó esta historia:

«Concurrí a una reunión de gente espiritual donde se practicaba la meditación. Al terminar la sesión se acercó un señor bien puesto, aplomado, con extrema afabilidad y me dijo:

»—Necesito hablarle en privado. Estoy muy emocionado, ha sido elegida y yo también. Creo que estoy viviendo el momento más importante de mi vida. Estaba meditando cuando se me presentó Dios para decirme que debía tener intimidad con usted y darle un hijo.

»El hombre se expresaba con convicción pero no podía ocultar su mirada pícara. Le contesté de la misma manera con aplomo y extrema afabilidad:

»—Cuente conmigo. No veo ningún inconveniente, en absoluto. No podría negarme nunca a un mandato divino. Lo único que le voy a pedir es que esperemos hasta que me avise a mí.»

¡Qué dominio del *savoir-faire!* ¡Qué diplomacia! No como aquel turista tan ignorante como celoso que lo primero que quiso visitar en París fue la Torre «Infiel».

⤨⤨⤨

Todo lo contrario le ocurrió a un carpintero que hacía trabajos a domicilio. Fue consultado para arreglar un armario empotrado en el dormitorio de una mujer muy atractiva, casada con un diplomático celoso que había participado con sus colegas en las discusiones y ejemplificaciones conceptuales sobre la naturaleza del *savoir-faire.*

El matrimonio vivía en una casa construida sobre una red de metro y cada vez que pasaba alguno de éstos vibraba el edificio y se abrían las puertas. La señora, sola en su casa, explicó al carpintero su problema y le pidió que entrase al armario y observase desde su interior de qué manera cedían las puertas al paso del metro. Así lo hizo.

Y de improviso llegó el marido. Sintió algo raro en el aire, se dirigió como un rayo al dormitorio, y, sin dejar que su mujer aclarase nada, abrió las puertas del armario... y encontró acurrucado al buen hombre:

—¿Qué hace usted ahí adentro? —vociferó.

—Estoy esperando que pase el metro.

Las consecuencias fueron calamitosas. El carpintero dejó de trabajar a domicilio, el diplomático suspendió la mayoría de sus viajes. La hermosa mujer aprendió a convivir con los tránsitos subterráneos y las aperturas crónicas de puertas.

Pero a los tres les faltó *savoir-faire*.

Un famoso hotel exhibía una atractiva consigna: «Aquí no hay problemas. Todo son oportunidades.»

Un pasajero entra en su habitación y encuentra a una muchacha generosamente descubierta durmiendo en su cama. Bajó a la recepción y comentó el error, con evidente malestar. El conserje, muy sereno explicó, con *savoir-faire:*

—Señor, aquí no hay problemas. Todo son oportunidades.

En otro hotel, su prestigio internacional radicaba en la calidad de su atención y en su exquisita sopa de pepinos muy valorada por los turistas alojados. Uno de ellos rechazó el ofrecimiento del plato que le sugería gentilmente el garzón del comedor:

—No, sopa no, por favor.

—Como guste, señor. ¿Tal vez en la cena?

Por la noche, el atento mozo reiteró su ofrecimiento.

—¿La sopa del hotel, señor? Está muy sabrosa, todos la toman.

—No, por favor —repitió el comensal—, no me apetece.

—No se preocupe, señor. ¿Tal vez mañana en el desayuno?

Por la mañana se repitió la misma situación: el buen cliente rechazó la famosa sopa de pepinos del acreditado establecimiento.

Al marcharse del hotel, el turista tuvo un accidente al bajar las escaleras. Se torció un pie.

El médico lo examinó atentamente, con seriedad. Le recetó un vendaje, una inyección calmante y un enema.

El paciente se recuperó. Al día siguiente, preguntó intrigado al conserje:

—Explíqueme, por favor: la venda estuvo perfecta, la inyección calmó el malestar; pero ¿para qué un enema?

—¡Estimado señor, de este hotel no se va nadie sin probar la sopa de pepino!

Hay una gracia en todo lo creativo. Una elevación para cualquier conflicto.

«Soy yo y mi circunstancia», y la calidad de respuesta que decido en cada situación.

Hasta para interpretar o regalar un cuento hace falta *savoir-faire*.

Nada más triste, para quien lo relata, que explicar un cuento, especialmente si está dirigido a personas inteligentes.

Todos los espacios de gestión son óptimos para celebrar la vida.

No es necesaria una ropa especial, una fecha consagrada, una campaña exclusiva. Nos basta con la maravillosa y simple intención que transforma un momento normal en algo extraordinario.

El sentir la gracia de estar vivo, el ser conscientes de nuestra propia conciencia, de poder expresar la alegría esencial que nos inunda, no requieren de un santuario especial, de ningún dogma o guerra santa.

Para servir al otro, para establecer relaciones humanas solidarias, para conectarnos con nuestra real identidad basta el silencio creador, una motivación elevada y sacralizar nuestras rutinas con un acercamiento mutuo, profundo y beatífico.

Podemos, y debemos, otorgar al mundo concreto de los afanes diarios la riqueza interpretativa de lo simbólico, la elevación de lo trascendente, la belleza de cada ritmo vital, la profundidad mágica de lo simple.

No hace falta abusar de nombres y de títulos para la observación atenta, para la falta de agresividad que conserva la amistad, para la intimidad del amor que siempre une, entusiasma y protege.

La inteligencia práctica de lo verdadero, del respeto y del asombro tiñe de color el vacío de la depresión y pone paz en el ánimo violento. Fluir con naturalidad transparente conmueve y fortalece.

La espiritualidad de la vida cotidiana es tan económica como cercana, tan ocurrente como inagotable. Todos los días es posible conectarnos con hallazgos valiosos imprevistos. La vida ofrece muy generosamente diamantes; es imprescindible abrir el corazón a sus valiosas entregas.

Las puertas del corazón no tienen pestillo exterior, se abren, como el mar, desde dentro. En la práctica de la espiritualidad cotidiana siempre hay un cuento cercano, gratuito, inteligente y oportuno que te está esperando. Un simple movimiento interno permite transmitirlo para nuestra propia alegría propia y la de los demás.

*Si el lector desea
una comunicación personal
con Enrique Mariscal,
puede hacerlo a través
de su dirección de e-mail:*

info@enriquemariscal.com.ar

Si deseas recibir información gratuita
sobre nuestras novedades

- Manda un fax

o

- Manda un e-mail

o

- Escribe

o

- Recorta y envía esta página a:

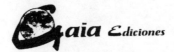

C/ Alquimia, 6
28933 Móstoles (Madrid)
Tel.: 91 614 53 46 / 91 617 08 67
Fax: 91 617 97 14
e-mail: contactos@alfaomega.es

Toda la información, novedades, tienda...
la encontrarás en:
www.alfaomega.es

Nombre: ....

Primer apellido: ....

Segundo apellido: ....

Domicilio: ....

Código Postal: ....

Población: ....

País: ....

Teléfono: ....

Fax: ....

Cuentos para regalar a personas inteligentes